Le club des cœurs solitaires

ELIZABETH EULBERG

Traduit de l'anglais (américain)
par Carole Delporte

City

A mon très cher EEC.
En particulier à Dav Pilkey,
la première personne à m'avoir encouragée à écrire.
Tout cela est sa faute.

© City Editions 2011 pour la traduction française
© 2010 by Elizabeth Eulberg
Publié aux Etats-Unis sous le titre *The Lonely Hearts Club*
par Point, une division de Scholastic Inc.

ISBN : 978-2-35288-708-9
Code Hachette : 50 8587 3
Couverture : Studio City / Shutterstock

Collection dirigée par Christian English et Frédéric Thibaud
Catalogues et manuscrits : www.city-editions.com

Dépôt légal : deuxième trimestre 2011
Imprimé en France par France Quercy - Mercuès - N° 10908/

Moi, Penny Lane Bloom, jure solennellement de ne plus jamais sortir avec aucun garçon de toute ma vie.

D'accord, peut-être que je reconsidérerai la question dans dix ans ou plus, quand je ne vivrai plus à Parkview, dans l'Illinois, et que je n'irai plus au lycée McKinley, mais pour le moment, j'en ai terminé avec les garçons. Tous des menteurs, des trompeurs, des manipulateurs.

Oui, tous jusqu'au dernier. Des démons. De la vermine.

Bien sûr, certains ont l'air gentils, mais à la minute où ils obtiennent ce qu'ils veulent, ils vous abandonnent et se trouvent une nouvelle proie.

Donc, j'arrête.

Plus de rendez-vous.

Terminé.

Yesterday

« L'amour était un jeu si facile[1]... »

<hr>

1. *Love was such an easy game to play...* (NDT)

1

Quand j'avais cinq ans, je descendais l'allée centrale au bras de l'homme de ma vie.

D'accord, disons plutôt du *garçon* de ma vie. Il avait cinq ans, lui aussi.

Je connais Nate Taylor pratiquement depuis ma naissance. Nos pères sont amis d'enfance et, chaque année, Nate et ses parents passent l'été avec ma famille. Mon album de photos souvenirs est rempli de photos de Nate et moi – en train de prendre un bain ensemble, de jouer sous l'arbre dans la cour...

Ma préférée, celle où je suis déguisée en fiancée miniature, avec ma belle robe blanche, aux côtés de Nate dans sa queue-de-pie, est fièrement accrochée au mur de ma chambre.

Tout le monde plaisantait en disant qu'un jour, nous nous marierions pour de bon. Nate et moi aussi le pensions. Nous pensions être le couple parfait.

Cela ne me dérangeait pas de jouer à la guerre avec lui, et il jouait volontiers avec mes poupées (même s'il ne le reconnaîtrait jamais).

Il me poussait sur la balançoire et je l'aidais à agencer ses figurines articulées. Il me trouvait plutôt jolie avec mes nattes et à mes yeux il était mignon (même dans sa phase potelée). J'aimais ses parents, il aimait les miens. Je voulais un bouledogue anglais, il voulait un carlin. Les macaronis au fromage étaient mon plat préféré, lui aussi.

Une fille pouvait-elle rêver mieux de la part d'un garçon ?

A mes yeux, attendre l'été signifiait attendre Nate. Résultat, la plupart de mes souvenirs tournaient autour de lui :

♥ Mon premier baiser (dans l'arbre de la cour, quand nous avions huit ans. Je l'ai repoussé, après quoi j'ai pleuré).

♥ La première fois que j'ai tenu la main à un garçon (un jour où nous étions perdus).

♥ Ma première carte de Saint-Valentin (une carte en forme de cœur bricolée à la main avec mon nom dessus).

♥ Ma première expérience de camping (à l'âge de dix ans, Nate et moi avions dressé une tente dans le jardin et y avions passé la nuit entière).

♥ La première fois que je trompai sciemment mes parents (j'ai pris le train pour Chicago pour voir Nate l'année dernière, disant à mes parents que je passais la nuit chez ma meilleure amie Tracy.)

♥ Notre premier vrai baiser (à quatorze ans ; cette fois, je ne l'avais pas repoussé).

Après ce baiser, j'attendis les étés avec une excitation plus grande encore.

Nous ne jouions plus à faire semblant. Nos sentiments étaient réels, différents. Le cœur n'était plus en papier mâché – il était vivant, vibrant…, vrai.

L'été, pour moi, est synonyme de Nate. Quand je pense à l'amour, je pense à Nate.

En fait, quel que soit l'objet de mes pensées, Nate est toujours présent.

Je savais que cet été-là, cela se produirait. Nate et moi serions ensemble.

Le dernier mois d'école fut insupportable. Je me mis à compter les jours avant son arrivée. Je fis plusieurs virées shopping avec mes amies pour m'acheter des « vêtements dignes de Nate ».

J'achetai même mon premier bikini en pensant à lui. Je fis coïncider mon programme de travail au cabinet dentaire de mon père avec celui de Nate au country-club. Rien ne devait se mettre en travers de notre chemin.

Enfin, ce fut le grand moment.

Il était là.

Plus grand.

Plus vieux.

Plus que mignon : sexy !

Et il était à moi.

Il me voulait. Je le voulais. Tout paraissait si simple. Bientôt, nous serions ensemble. *Vraiment* ensemble, enfin.

Seulement, la vie n'est pas un roman.

Car les garçons changent.

Ils mentent.

Ils vous brisent le cœur.

Je découvris brutalement que les contes de fées et l'amour véritable n'existaient pas.

L'homme parfait n'existe pas.
Cette adorable image de l'innocente fiancée minia-
ture avec le type de ses rêves ?
Cela n'existait plus non plus.
Je l'avais fait partir en fumée.

2

Tout s'était passé très vite...

L'été avait débuté normalement. Les Taylor sont arrivés et la maisonnée fourmillait de monde. Nate et moi flirtions constamment, comme nous le faisions depuis quelques années. Seulement, cette fois, le flirt cachait des envies plus profondes. Comme le désir. L'avenir. Le sexe.

Mes rêves étaient sur le point de se réaliser. Nate était parfait à mes yeux. C'était le garçon qui éclipsait tous les autres. Celui qui faisait battre mon cœur et nouait mon estomac.

Cet été-là, mes sentiments seraient enfin partagés.

Notre relation commença par quelques rendez-vous innocents. Cinéma, dîner...

Nos parents n'avaient aucune idée de ce qui se tramait. Nate ne voulait pas le leur dire, et j'étais d'accord avec lui.

Il pensait qu'ils risquaient de s'emporter, et il n'avait sans doute pas tort.

Même si nos parents nous voyaient bien finir ensemble un jour, je n'étais pas certaine que dans leur esprit ce soit aussi tôt. En particulier avec Nate installé dans notre sous-sol insonorisé.

Tout se passait merveilleusement bien. Nate me disait les mots que je rêvais d'entendre. Combien j'étais belle, parfaite. Il me murmurait qu'il avait le souffle coupé chaque fois qu'il m'embrassait.

Je flottais sur mon petit nuage.

Nous nous embrassâmes. Encore et encore. Puis nous nous embrassâmes plus langoureusement. Mais bientôt, cela ne nous suffit plus.

Nos mains commencèrent à vagabonder, nos vêtements, à se soulever. Exactement comme je l'avais imaginé…, sauf que cela allait trop vite.

Beaucoup trop vite.

Plus je lui en donnais, plus il en voulait. Aussi finissais-je par le freiner. Toutes nos étreintes se terminaient en bataille pour savoir jusqu'où nous irions.

Il nous avait fallu tant de temps pour en arriver là, pourquoi précipiter les choses ? Je ne comprenais pas pourquoi il ne se contentait pas de profiter du moment présent, du temps passé ensemble, au lieu de vouloir à tout prix sauter à l'étape suivante.

Par étape suivante, je veux dire physiquement.

Après quelques semaines, Nate m'avoua ses sentiments, me confia que j'étais la seule et l'unique, son véritable amour. Ce serait si extraordinaire, me disait-il, si seulement je le laissais m'aimer comme il le souhaitait.

Telles étaient les paroles qui me faisaient fantasmer depuis l'enfance. Ce que j'avais toujours voulu. Aussi me dis-je : *Oui, faisons-le.* Parce que ce sera avec lui. Et c'est tout ce qui compte.

Je décidai de le surprendre.

De lui faire confiance.

De foncer.

J'avais tout planifié, tout prévu. Nos parents rentreraient tard et nous aurions la maison pour nous tout seuls.

— Tu es sûre que c'est ce que tu veux, Pen ? me demanda Tracy ce matin-là.

— Je sais que je ne veux pas le perdre.

Tel était mon raisonnement. Je le faisais pour Nate. Cela n'avait rien à voir avec moi et mes désirs. C'était uniquement pour lui.

Je rêvais d'un moment spontané, je voulais qu'il soit surpris, puis bouleversé de constater à quel point cette soirée et moi étions parfaites.

Il ne savait même pas que j'étais à la maison. Je lui avais fait croire que je sortais toute la soirée, afin de rendre la surprise plus totale encore. Je voulais lui montrer que j'étais prête. Volontaire. Capable. J'avais pensé à tout, excepté ma tenue. En fouillant dans les tiroirs de ma sœur, je dénichai un caraco de soie blanche qui ne laissait guère de place à l'imagination. J'empruntai également sa robe de dentelle rouge.

Fin prête, je me coulai dans l'escalier jusqu'à la chambre de Nate au sous-sol. Je commençai à dénouer ma robe, avec un mélange d'excitation et de nervosité pure. Comme j'étais impatiente de voir l'expression de son visage ! Je voulais lui montrer la ferveur de mes sentiments, et qu'il éprouve la même chose pour moi.

Le sourire aux lèvres, j'allumai.

— Surprise ! m'écriai-je.

Nate se redressa du canapé avec une expression paniquée.

— Bonsoir…, susurrai-je en laissant la robe glisser sur le sol.

Une seconde tête surgit du canapé.

Une fille.

Avec Nate.

Bouche bée, je me figeai sur place, incapable d'en croire mes yeux. Tous deux rassemblèrent maladroitement leurs vêtements à la hâte. Hébétée, je repêchai ma robe et la plaquai devant moi, m'efforçant de couvrir le maximum de peau.

La fille se mit à glousser.

— Je croyais que ta sœur sortait toute la soirée !

Sa sœur ? Nate n'avait pas de sœur. Je tentai de me persuader qu'il devait y avoir une bonne explication à tout ceci. Jamais Nate ne me ferait une chose pareille. Surtout pas dans ma propre maison ! Peut-être que cette fille avait eu un accident de voiture juste devant chez nous et que Nate l'avait invitée à entrer pour... hum... la consoler ? Ou bien ils étaient simplement en train de répéter une scène pour une représentation estivale de… *Roméo et Juliette*… nus. Ou alors je m'étais endormie, et tout ceci n'était qu'un horrible cauchemar.

Mais… non.

La fille finit par se rhabiller et Nate, qui évitait mon regard, la raccompagna au rez-de-chaussée.

Quel gentleman !

Après ce qui me parut une éternité, il revint.

— Penny, dit-il en m'enlaçant par la taille, je suis désolé que tu aies vu ça.

Je voulus parler, mais impossible de retrouver ma voix.

Il fit remonter ses mains sur mes épaules et commença à les masser à travers le tissu fin de la robe.

— Je suis désolé, Penny. Tellement désolé. Tu dois me croire. Ce qui s'est passé était stupide. Je suis un idiot. Un parfait idiot.

Je secouai la tête.

— Comment as-tu pu ?

Mes mots n'étaient qu'un murmure, ma gorge était nouée.

Il se pencha.

— Sincèrement, cela ne se reproduira pas. Je veux dire, il ne s'est rien passé. Rien du tout. C'était sans importance. Cette fille ne signifie rien. Tu sais à quel point tu comptes pour moi. C'est *toi* que j'aime.

Il fit glisser ses mains dans mon dos.

— Peut-être que cela va t'aider à te sentir mieux. Dis-moi ce que je dois faire. Je n'ai jamais voulu te faire de mal.

Le choc initial passé, la colère latente m'envahit. Je m'écartai brusquement de lui.

— Comment as-tu pu ? COMMENT AS-TU PU ?

(J'avais crié la dernière partie.)

— Ecoute, je suis vraiment désolé.

— Tu es DÉSOLÉ ?

— Penny, vraiment je m'en veux.

— Tu t'en VEUX ?

— S'il te plaît, arrête et écoute-moi. Je peux tout expliquer.

— Très bien alors, dis-je en m'asseyant sur le canapé. Explique-moi.

Nate me jeta un regard nerveux – apparemment, il ne s'attendait pas à ce que je m'assoie tranquillement pour entendre ce qu'il avait à dire.

— Penny, cette fille ne signifie rien pour moi.

— A vous voir, ce n'est pas du tout évident.

Je resserrai la ceinture de ma robe et attrapai un coussin pour couvrir mes jambes.

Nate poussa un soupir. Un profond soupir.

— Et voilà, c'est parti pour le drame.

Il s'assit près de moi, bras croisés.

— Bien, si tu ne veux pas accepter mes excuses, je ne vois pas ce que je peux faire.

— Des excuses ? m'exclamai-je en riant. Tu crois que dire « désolé » va effacer ce qui vient de se passer ? Je croyais que tu me trouvais spéciale.

Je baissai les yeux, honteuse d'avoir pu croire une pareille bêtise.

— Penny, tu *es* spéciale. Mais, bon, qu'est-ce qui devait se passer d'après toi ?

Le visage de Nate était devenu rouge tomate.

— Je veux dire…, enfin… Toi et moi…, nous sommes…, nous sommes…, eh bien, c'est ce que c'est…

Je n'en croyais pas mes oreilles. Le Nate que je connaissais avait disparu et une sorte de… monstre avait pris sa place.

— Qu'est-ce que ça veut dire ?

— Mon Dieu !

Nate se leva et se mit à faire les cent pas.

— Voilà exactement ce que je veux dire ! Regarde-toi, assise là, comme quand nous étions petits et que tu boudais parce que tu n'avais pas ce que tu voulais. Oui, je te désire depuis longtemps, Penny. Très longtemps. Mais même si tu penses vouloir la même chose, tu te mens à toi-même. Tu veux la version sentimentale et enfantine que tu as imaginée de moi. Le Nate qui te tient la main et t'embrasse sur la joue. Eh bien, ce Nate a grandi. Peut-être que tu devrais en faire autant.

— Mais je…

— Quoi ? Tu *quoi* ? Tu as mis la nuisette de ta sœur ? Ce sont des jeux de gamins, Penny. Dans ton esprit, c'est perpétuellement le jour de ton mariage, sans lune de miel, sans ôter la robe, rien. Mais tu sais quoi ? Les gens font l'amour. Pas besoin d'en faire toute une histoire.

Mon corps fut pris de tremblements incontrôlables. J'étais abasourdie.

Nate secoua la tête.

— Je savais où cela allait nous mener. Que te dire ? Je m'ennuyais et je pensais qu'il était plus facile d'entretenir tes illusions plutôt que de les combattre. Et je dois dire que ton petit côté oie blanche de la campagne jouait en ta faveur. Jamais je n'aurais cru que tu deviendrais une allumeuse.

J'avais la nausée. Les larmes roulaient sur mes joues.

— Oh ! allez…

Nate s'assit et passa son bras sur mes épaules.

— Crie-moi encore un peu dessus et tu te sentiras mieux. Et puis on pourra passer à autre chose.

Je me libérai de son étreinte et grimpai l'escalier en courant. Pour fuir.

Loin de Nate.

Loin de ses mensonges.

Loin de tout.

Mais c'était impossible. Nate devait rester encore deux semaines chez nous. Chaque matin, je serais obligée de me lever et l'affronter. Le regarder quitter la maison, sans doute pour la retrouver, *elle*.

Cette fille qu'il était allé chercher parce que je n'étais pas assez bien pour lui. Il ne me verrait jamais comme une petite amie.

Chaque jour, je me rappellerais cet échec cuisant. Je me rappellerais que mes rêves d'enfant s'étaient brutalement brisés, me blessant plus durement encore que je n'aurais pu l'imaginer.

Ma sœur aînée Rita fut la seule à être au courant de mon désespoir. Je lui fis jurer de garder le secret, car cette histoire risquait d'entamer l'amitié sincère de mes parents pour les Taylor, si jamais ils venaient à l'apprendre. Or Nate ne méritait pas de détruire cela *aussi*. De plus, je me sentais affreusement gênée.

Il m'était insupportable de montrer à mes parents combien j'avais été stupide.

Rita essaya de me réconforter. Elle menaça même Nate de le tuer si jamais il osait s'approcher à moins de trois mètres de moi.

Hélas, trois cents mètres n'auraient pas suffi.

— Penny, ça va aller, me promit ma sœur en me serrant dans ses bras. La vie est pavée d'obstacles.

Je ne venais pas de buter contre une pierre. J'avais heurté violemment un mur de briques.

Et jamais plus je ne voulais éprouver une pareille souffrance.

3

Je me sentais tellement perdue que j'avais besoin de me cacher. De m'échapper.

Il ne me restait qu'une seule chose à faire pour adoucir mon chagrin : me tourner vers les quatre garçons qui ne m'avaient jamais brisé le cœur ni déçue.

John, Paul, George et Ringo.

Tous ceux qui se sont déjà cramponnés à une chanson comme à une bouée de sauvetage me comprendront. Ceux qui écoutent une chanson en boucle pour raviver une émotion ou un souvenir.

Ou qui fredonnent une mélodie dans leur tête pour couvrir le bruit d'une conversation.

Une fois réfugiée dans ma chambre, bouleversée par le rejet de Nate, j'ai mis le volume de ma stéréo à fond, à tel point que le lit se mit à vibrer. Les Beatles ont toujours été ma couverture de survie.

Ils faisaient partie de ma vie avant même mon existence. En fait, sans les Beatles, je ne serais sans doute pas née.

Mes parents se sont rencontrés lors d'un pèlerinage improvisé dans un parc de Chicago le jour de l'assassinat de John Lennon. Tous deux étaient des fans de longue date des Beatles, et par la suite ils ont logiquement donné à leurs trois filles des prénoms tirés des chansons de leurs idoles : *Lucy in the Sky with Diamonds*, *Lovely Rita* et *Penny Lane*.

Evidemment, mes sœurs aînées eurent la chance d'hériter de noms relativement communs, alors que moi, j'eus droit au traitement Lennon/McCartney complet : Penny Lane. Je suis même née un 7 février, le jour anniversaire de l'arrivée des Beatles aux Etats-Unis. A mon avis, ce n'est pas une coïncidence. Je suis persuadée que ma mère s'est retenue pour que je naisse précisément ce jour-là.

La majorité des vacances familiales se déroulaient en Angleterre, à Liverpool. Toutes nos cartes de Noël étaient des créations réalisées à partir des différentes couvertures des albums des Beatles.

A dire vrai, j'aurais dû les haïr. En signe de rébellion. Au lieu de quoi, les Beatles sont devenus une part de moi. Que je sois heureuse ou triste, leur musique, leurs paroles me rassurent.

En ce moment, j'essaie d'oublier les mots de Nate à grand renfort de *Help !*, tout en ouvrant mon journal intime. Le carnet à la reliure de cuir pesait lourd dans mes mains, lourd de toute l'émotion contenue dans ces pages.

Je l'ouvris et parcourus quelques paragraphes, émaillés d'extraits de chansons des Beatles.

A n'importe qui d'autre, ces associations sembleraient insignifiantes, mais à mes yeux, c'était bien plus que de simples mots. Des instantanés de ma vie : de bons et de mauvais moments, souvent liés aux garçons.

Toutes ces peines de cœur…

Je décidai de passer en revue mes relations amoureuses.

Dan Walker, élève senior et, d'après Tracy, « terriblement sexy ». Nous sommes sortis ensemble quatre mois au début de la deuxième année.

Les choses ont commencé gentiment – entendez par là un cinéma et une pizza tous les vendredis, comme tous les autres couples de lycéens de la ville.

Au bout d'un moment, Dan a commencé à me confondre avec un personnage féminin du film *Almost Famous*, elle aussi prénommée Penny Lane.

Une vraie groupie dans le film, de sorte que Dan s'est mis en tête que, s'il me jouait *Stairway to Heaven* à la guitare, je lui tomberais dans les bras.

J'appris vite ma leçon : un bon look ne fait pas un bon joueur de guitare. Quand Dan a compris que mes fringues tenaient bon, il a changé de disque.

Puis il y a eu Derek Simpson qui, j'en suis presque sûre, n'est sorti avec moi que dans l'espoir que ma mère pharmacienne lui fournisse régulièrement sa came.

Darren McWilliams n'était guère mieux. Nous avons commencé à nous voir avant l'été de Nate-le-fou. Il avait l'air d'un gentil garçon, jusqu'à ce qu'il se mette à flirter avec Laura Jaworski, qui se trouvait être une de mes copines. Il finit par nous proposer un rendez-vous le même jour sans se douter que nous pourrions comparer nos agendas.

Dan, Derek et Darren – et ce, uniquement pendant la première année de lycée ! On m'avait trompée, menti et utilisée. Quelle leçon en avais-je tirée ? Rester à bonne distance de tous les mecs dont le prénom commençait par un D, puisqu'ils étaient tous le diable.

Peut-être que le vrai nom de Nate était Dante le Destructeur de rêves ? Parce qu'il était dix fois pire que les trois autres D réunis.

Lasse, je reposai mon journal. Oui, j'étais en colère contre Nate. Mais surtout, j'étais furieuse contre moi. Pourquoi m'étais-je lancée dans cette aventure ? Qu'avais-je retiré de ces relations en dehors d'un cœur brisé ? J'étais plus intelligente que cela. J'aurais dû deviner ce qui allait se passer.

Est-ce que j'allais continuer à me faire manipuler ainsi ? N'existait-il donc aucun garçon sur cette planète qui en valait la peine ?

Je croyais que Nate, oui, en valait la peine. Mais je me trompais.

Je me levai pour appeler Tracy – ma misère avait besoin de compagnie – quand un objet capta mon attention.

Je me campai devant mon poster préféré des Beatles et fis courir mes doigts sur le titre : *Sgt. Pepper's Lonely Hearts Club Band – Le Club des cœurs solitaires du sergent Pepper.*

J'observais ce poster chaque jour depuis sept ans. Cet album était l'un de mes préférés ; je l'avais écouté des centaines de fois.

Pour moi, c'était comme une sorte de terme unique : LeClubdescœurscolitairesdusergentPepper. Mais, à présent, trois mots me sautaient aux yeux :

Club.

Cœurs.

Solitaires.

C'est alors que j'eus une révélation.

Une sorte de formule magique.

Club... Cœurs... Solitaires.

En théorie, cela peut paraître déprimant. Mais il n'y avait rien de déprimant dans la musique ! Elle était vivante.

La réponse était sous mes yeux depuis tout ce temps. Le moyen de ne plus être trompée, illusionnée, manipulée.

Plus jamais je ne me torturerais pour sortir avec de pauvres types comme Nate. Je jouirais désormais des plaisirs du célibat.

Pour une fois, je me focaliserais sur moi, Penny Lane Bloom, unique membre et fondatrice du Club des cœurs solitaires.

Come Together

« ... tu dois être libre[1]... »

4

Les garçons étaient désormais de l'histoire ancienne. Une seule question me taraudait encore : pourquoi n'y avais-je pas pensé plus tôt ?
Cette idée était géniale, je le savais. Mais cela aurait
été plus sympa si ma meilleure amie avait cessé de me
regarder comme si je m'étais échappée d'un hôpital
psychiatrique.

— Pen, tu sais que je t'aime, mais…

Nous y voilà.

Nous avions organisé une réunion de crise (avec les
frites requises lors d'une rupture) dans notre restaurant
de quartier habituel, moins d'une heure après mon idée
de génie. Tracy but une gorgée de son milk-shake tout
en écoutant ma diatribe à propos de l'enfer que les
garçons nous faisaient vivre depuis tant d'années. Je
n'en étais même pas encore arrivée au club et à ma
décision de ne plus sortir avec des garçons.

— Je sais que tu es bouleversée, et tu as toutes les
raisons de l'être, mais tous les garçons ne sont pas
diaboliques.

Je levai les yeux au ciel.

— Oh ! vraiment ? Devons-nous revoir tes listes de
ces dernières années ?

Tracy s'enfonça dans son siège. Chaque année, elle dressait une liste des garçons qu'elle rêvait de fréquenter. Elle passait tout l'été à réfléchir aux différents candidats avant d'établir une liste pour l'année scolaire, les élus étant classés par ordre de préférence, en fonction de leur look, leur popularité et... leur look.

Ces listes lui causaient assurément plus de peines de cœur qu'elles ne lui apportaient de joies. Tracy n'avait décroché aucun rendez-vous avec les candidats en lice depuis des années. En fait, elle n'avait jamais eu de petit ami. Pourquoi ? Mystère. Elle était mignonne, drôle, intelligente et c'était l'amie la plus loyale et la plus fiable dont on pouvait rêver. Mais, comme si j'avais besoin d'un autre exemple de la félonie des garçons, aucun des types de McKinley ne s'était aperçu qu'elle pouvait être une merveilleuse petite amie.

Quelle chance elle avait ! me disais-je. Mais elle ne voyait pas du tout les choses ainsi.

— Je ne vois pas de quoi tu veux parler.

— Bien. Donc, tu es en train de me dire que tu n'as pas de nouvelle liste en cours ?

Tracy prit son sac et le posa sur le siège à côté d'elle.

Bien sûr qu'elle avait une nouvelle liste ! Il ne restait plus que quelques jours avant le début de notre troisième année de lycée.

— Je suppose que je devrais me débarrasser de cette liste puisque, selon toi, tous les mecs sont des salauds.

Je souris.

— Enfin, nous allons dans le bon sens. Brûlons-la !

Tracy se renfrogna.

— Tu as vraiment perdu la tête ! Tu ne pourrais pas être sérieuse une seconde ?

— Je suis très sérieuse.

Maintenant, c'était au tour de Tracy de lever les yeux au ciel.

—Allons… Tous les mâles célibataires de la planète ne sont pas d'horribles monstres. Et ton père alors ?

— Et Thomas Grant ? répliquai-je du tac au tac.

La bouche de Tracy resta grande ouverte.

D'accord, c'était un coup bas. Thomas était sur sa liste de l'année dernière. Elle avait passé le semestre entier à flirter avec lui en cours de chimie.

Finalement, il lui avait demandé si elle était libre un week-end. Tracy était tout excitée… jusqu'à ce que, une heure avant leur rendez-vous, il lui envoie un texto pour lui dire qu'il avait un « empêchement ».

Puis il l'avait ignorée tout le reste de l'année. Pas une explication, pas une excuse, rien.

Un mâle typique.

— Et Kevin Parker ? insistai-je.

Interloquée, Tracy me fixa.

— Eh bien, ce n'est pas ma faute s'il ne sait pas que j'existe.

Il y avait toujours le même nom en haut de la liste de Tracy : Kevin Parker, le fabuleux joueur de football de dernière année. Malheureusement, Kevin n'avait apparemment jamais remarqué l'existence de Tracy.

Quand je sortais avec Derek, j'avais invité Kevin et ses amis chez moi dans le seul but de lui présenter Tracy. Mais il l'avait superbement ignorée.

Si j'étais restée aussi longtemps avec Derek, c'était en partie parce que Tracy avait besoin de sa dose quotidienne de Kevin Parker.

A l'idée du pouvoir maléfique de cette liste sur le bonheur de mon amie, j'avais envie de l'arracher de son sac et de la déchirer en mille morceaux. Parce que je savais qu'elle allait rayer les noms inscrits un à un et finirait l'année en larmes.

Tracy soupira, puis se reprit.

— Cette année, ce sera différent. Je ne sais pas... J'ai vraiment un bon pressentiment.

Elle sortit sa liste et étudia d'un air pensif les candidats de l'année.

Avais-je vraiment cru que Tracy comprendrait mon besoin de cesser de fréquenter des garçons ? Elle qui ne pensait à rien d'autre qu'à eux !

Je décidai d'abandonner la partie... pour le moment.

Tracy n'était pas la seule à avoir un bon pressentiment à propos de l'année à venir.

5

La rentrée. J'avais à peine mis un pied au lycée que déjà je devais affronter l'ennemi. Pas Nate – il était parti. Mais des types comme Nate.

— Hé ! Tu te rends compte que mon petit frère est déjà au lycée ?

Tracy fit un geste en direction de la banquette arrière de sa voiture, où son frère Mike faisait beugler son iPod.

— Et tu sais, Pen, je ne vois aucune corne sur sa tête.

— Pas encore, ricanai-je.

Mikey Larson Junior était du sang neuf... Il faisait partie de la meute.

Quand commencerait-il à se comporter comme tous les autres types de son espèce à McKinley ? Existait-il une sorte de cours secret où on apprenait aux garçons à devenir des *himbos*, version masculine des bimbos ?

Lorsque Mike descendit de la voiture, je ne pus m'empêcher de remarquer combien ils se ressemblaient, Tracy et lui, avec leurs cheveux blonds, leurs yeux noisette et leurs visages en forme de cœur.

Tracy m'observa de la tête aux pieds.

— Pen, ces chaussures sont adorables ! Tu es tellement *in* aujourd'hui !

Elle appliqua une nouvelle couche de gloss en se regardant dans le rétroviseur.

— Tu as l'intention d'impressionner quelqu'un en particulier ?

— Non, grommelai-je... Je veux juste être jolie pour moi.

Tracy m'adressa un regard qui m'indiquait clairement qu'elle ne me croyait pas.

Peu importait. C'était le début d'une année fantastique. J'ouvris la porte de l'école, excitée à la perspective de ce nouveau départ sans toute cette folie à propos des garçons.

Mon sourire s'évanouit à la vue du premier d'entre eux : Dan Walker, vêtu de la veste en cuir que je lui avais « empruntée » quand nous sortions ensemble. Quelle ironie d'être accueillie par le souvenir d'un petit ami atroce.

Par chance, Nate était à des milliers de kilomètres de là, à Chicago. Je pris la tangente pour m'éloigner de Dan et aperçus Kevin Parker, apparemment toujours aussi décontracté, et toujours aussi inconscient de l'existence de mon amie.

Ma frustration augmentait à mesure que je passais en revue mes camarades de classe. J'avais arpenté ces couloirs des milliers de fois, mais c'était comme si mes yeux les voyaient pour la première fois : les filles soupiraient après les garçons, qui, eux..., eh bien..., s'en fichaient royalement !

Après tout, c'étaient des mecs : grandes gueules, insupportables, égoïstes. Ils ne draguaient pas les filles : les filles leur tombaient dans les bras. Mon sac vibra et j'y pêchai mon téléphone portable. Je m'arrêtai net et fus heurtée de plein fouet par Brian Reed.

— Attention ! cria-t-il tandis que sa petite amie, Pam, me jetait un regard furieux.

Misère ! J'avais oublié que ces deux-là étaient incapables de se lâcher la main une seconde.

Je quittai mon hébétude, convaincue qu'il devait s'agir d'une sorte d'erreur. Mais non, le téléphone le confirmait : j'avais reçu un texto de Nate. Bien sûr, il avait trouvé un moyen de me torturer, même absent.

Passe une bonne première journée.

Quoi ? D'abord, il savait que je ne lui parlais plus. Ensuite, cela ne faisait que deux semaines ! Croyait-il que j'avais déjà oublié son odieux comportement ? Troisièmement, pouvait-on se montrer plus perfide ? Je détruisis le message et fourrai de nouveau mon téléphone dans mon sac.

Nate Taylor ne ruinerait pas un jour de plus de ma vie.

— Tu vas avoir des ennuis, Bloom !

Ryan Bauer était adossé à son casier, bras croisés, un sourire ironique aux lèvres.

Fabuleux. Je n'étais vraiment pas d'humeur à affronter ce misérable.

— Quoi ? aboyai-je en ouvrant mon casier, à trois casiers du sien.

Confus, Ryan me dévisagea.

— Hum, laisse tomber.

Il s'empara de mon agenda sur ma pile de livres.

Ryan Bauer était l'un de ces mecs flanqués d'une petite amie collante dont l'existence tout entière tournait autour de lui. Le parfait cliché : la star des athlètes avec de bonnes notes, qui en plus était canon. Un mètre quatre-vingt-cinq, des épaules carrées, des yeux bleus incroyables. Et il ne cessait de passer sa main dans ses cheveux noirs et souples. Naturellement, c'était l'un des flirts les plus courus de l'école. Avant, j'aimais traîner avec lui, mais je n'avais plus le temps ni l'envie de continuer à nourrir son ego.

C'était un mec. Un *mec*. A tous les coups, il avait des cadavres d'enfants planqués dans son placard.

J'avais failli ne pas le reconnaître sans Diane Monroe pendue à son bras, surveillant ses moindres faits et gestes. Ryan et Diane sortaient ensemble depuis toujours. Enfin, techniquement, depuis la cinquième, mais au lycée, c'était une éternité.

Diane était la petite amie idéale pour un battant tel que Ryan : de longs cheveux blonds et brillants, des yeux pâles, d'un bleu cristallin, une silhouette de top model et, bien sûr, ils incarnaient le couple mythique pom-pom girl/président du Conseil des élèves stars de football.

— Bon sang, on dirait qu'on a que le cours d'histoire du monde ensemble, me disait maintenant Ryan. Todd aussi est dans ce cours. C'est complètement nul.

— Ouais, complètement nul.

Je n'essayai même pas de dissimuler le sarcasme dans ma voix.

— Hé !

Dans le couloir, Mlle Diane Monroe s'avançait vers nous, un large sourire aux lèvres. Elle avait sûrement une sorte de sixième sens qui lui disait que Ryan parlait à une autre fille. Je m'efforçai de ne pas lever les yeux au ciel tout en récupérant mes livres dans mon casier.

— Joyeux premier jour d'école !

Je refermai vivement la porte de mon casier et fis mine de m'éloigner pour me rendre à mon cours d'espagnol – quand Diane se campa devant moi avec un sourire plus large encore, ce qui commençait à me faire flipper.

— Hé ! Penny, comment s'est passé ton été ?

Ses yeux étincelaient presque d'excitation. Encore un peu et j'allais me mettre à ricaner.

Je l'observai avec surprise. Pourquoi me parlait-elle ? Nous ne nous étions pas adressé la parole depuis un siècle.

— Euh, salut, Diane.

Pourquoi les gens éprouvaient-ils le besoin de parler des vacances d'été le premier jour d'école ? Quel ennui ! L'été était terminé. Inutile d'en parler encore et encore.

— Alors, tu as remarqué ?

Diane se mit à virevolter. Tout en elle criait à la perfection – rien de neuf, jusque-là –, aussi haussai-je les épaules.

— Penny ! s'exclama-t-elle, apparemment sous le choc.

— Ma tenue… Tu ne te rappelles pas ?

Je passai ses vêtements en revue : blazer denim ajusté sur une chemise à sequins noire, minijupe à volants rose et sandales à lanières et talons de dix centimètres. Nouveau haussement d'épaules.

Apparemment, je ne m'en souvenais pas.

— Penny !

Diane ouvrit son blazer pour me montrer que sa chemise à sequins portait un logo des Beatles.

— Maintenant, tu te rappelles ? On porte toujours un haut des Beatles le jour de la rentrée.

J'en restai bouche bée. Ouais, quand on avait dix ans… et qu'on s'adressait la parole.

— Hum, désolée… Ça fait un bail.

Les épaules de Diane s'affaissèrent. Ce n'était pas la réponse qu'elle espérait.

A quoi s'attendait-elle ? La dernière fois que j'avais respecté notre petit rituel, nous étions en quatrième. C'était le jour où j'étais arrivée en retard parce que Diane n'était pas passée me prendre comme à l'accoutumée. Le jour où ma meilleure amie avait oublié de porter son tee-shirt des Beatles.

En fait, le jour où j'avais compris que notre amitié était terminée. Nous étions les meilleures amies du monde depuis presque dix ans.

Nos mères s'étaient rencontrées dans un club de littérature quand nous portions encore des couches et avaient décidé d'organiser des séances de jeux régulières pour nous. Sa mère venait nous chercher à l'école et nous emmenait au parc, ou bien nous allions chez moi et jouions dans la cour.

Mais tout cela n'avait plus d'importance. Rien d'autre n'avait plus compté aux yeux de Diane quand Ryan est entré dans son existence.

Diane, ma meilleure amie, avait décidé qu'il n'y avait de place dans sa vie que pour une personne.

Sa meilleure amie ou son petit ami ?

Qui avait-elle choisi d'après vous ?

6

Je m'éloignai de Diane et Ryan aussi vite que possible, avant qu'ils ne jouent les Roméo et Juliette au beau milieu du couloir. Mais le nom de Diane réapparut au déjeuner.

— Hé ! Devine qui a voulu me faire la conversation en cours de biologie et de français comme si nous étions de vieilles copines ? demanda Tracy, le sourire aux lèvres, tandis que nous nous dirigions vers la cafétéria après nos cours de la matinée. *Diane Monroe* ! Tu le crois ? A mon avis, elle nous fait du gringue pour récupérer le plus de votes possible pour l'élection de la reine du bal.

— Ouais, elle est bizarre, confirmai-je.

— Bah, je ne peux pas la sentir.

Tracy et moi n'étions pas de grandes fans de Diane – peu de filles de l'école l'étaient en réalité. Cela tenait-il à son apparence parfaite et à son excellence dans toutes les matières ? Sans doute.

Mais il ne s'agissait pas que de jalousie pure et simple.

Une personne à McKinley avait une excellente raison de détester Diane Monroe.

Moi.

Non seulement elle était l'exemple type de la fille qui perd toute personnalité propre pour un mec, mais en plus, elle m'avait laissée tomber, moi, sa meilleure amie. J'ai toujours trouvé pathétiques les filles qui abandonnent leurs amis dès qu'un mec montre le bout de son nez. Mais quand je suis devenue l'une de ces laissées-pour-compte, j'ai compris combien cela faisait mal.

Encore un exemple frappant du pouvoir de nuisance des garçons. Non seulement ils vous traitaient comme des moins que rien, mais en plus ils vous piquaient vos copines.

Même si je haïssais les listes de Tracy, j'étais secrètement contente que ce soit un échec sur toute la ligne. Je n'aurais jamais supporté de perdre Tracy comme j'avais perdu Diane.

Après nous être frayé un chemin à travers une longue file de nouveaux venus confus et inconscients de la nature empoisonnée de la cafétéria, Tracy et moi nous installâmes à notre table attitrée – la même que l'année précédente. Nos amies Morgan et Kara nous suivaient de près.

— Salut, les filles ! lança Morgan en s'asseyant avec Kara. Mes parents me persécutent pour que je fasse des activités extrascolaires. Tout ça pour mon dossier universitaire ! Comme si je pensais déjà à la fac ! On vient seulement de commencer la troisième année, non ?

Nous étions toutes d'accord avec elle. Kara se trémoussait sur sa chaise en tripotant sa pomme, pendant que, nous autres, nous nous jetions sur nos assiettes. Il était difficile de ne pas remarquer combien elle avait maigri pendant l'été… Comme si c'était encore possible ! Elle disparaissait littéralement dans son sweat-shirt à capuche McKinley gris.

Soudain, le buste de Kara fut projeté contre la table par une petite minette aux cheveux bouclés qui avait dû trébucher. Son plateau heurta la tête de Kara et son soda éclaboussa l'épaule de notre amie.

— Oh non ! s'écria la fille. Mon soda !

Nous la fixâmes toutes avec effarement pendant qu'elle ramassait son verre en plastique et passait en revue ses vêtements, ignorant totalement Kara. Comme je n'avais encore jamais vu cette fille, elle devait être nouvelle. Cela dit, il était difficile de ne pas la remarquer, même si elle ne mesurait guère plus d'un mètre cinquante. Tout en elle était exagéré – les ongles acrylique imitant une *french* manucure, les cheveux noirs émaillés de mèches blondes, les sourcils savamment épilés, les lèvres outrageusement dessinées. Elle portait une minuscule jupe en jean et un haut sans manches en dentelle, comme si elle s'apprêtait à défiler sur un podium et non à manger dans une cafétéria scolaire.

— Ça va ? demanda Morgan en tendant quelques serviettes en papier à Kara.

— *Ashley !* cria la fille à son amie. Est-ce qu'il y en a sur mon haut ?

Tracy tourna la tête en un éclair.

— Dis-moi, et si tu présentais des excuses à ma copine que tu viens de salir ?

La fille regarda Tracy comme si elle parlait une langue étrangère.

— Quoi ? J'ai renversé mon soda.

Ma meilleure amie lui jeta son fameux regard signé Tracy – yeux étrécis, lèvres pincées, expression de dégoût.

— Oui, tu as renversé ton soda... *sur mon amie*. Tu sais ce que s'excuser veut dire ?

La fille, visiblement agacée, ouvrit la bouche. Elle marmonna quelque chose que je supposai être une excuse (cela ressemblait davantage à un « s'cuse » et s'éloigna.

Tracy se rassit.

— Incroyable. Dès le premier jour, ces petites péronnelles se croient déjà tout permis. Oh ! Et regarde à quelle table elles vont s'asseoir.

Près de la fenêtre se trouvait une série de longues tables habituellement investies par les athlètes et les pom-pom girls, y compris l'infernal Cercle des Huit : Ryan Bauer et Diane Monroe, Brian Reed et Pam Schneider, Don Levitz et Audrey Werner, Todd Chesney et l'une de ses petites amies du moment.

Tracy et moi faisions partie des rares filles de notre classe à ne jamais s'être assises à la place de la petite amie en titre de Todd.

Je n'avais personnellement jamais éprouvé le désir de faire partie de cette version délirante de l'Arche de Noé, où vous ne pouviez survivre que si vous étiez accouplée à un spécimen du sexe opposé.

Si je devais choisir entre sortir avec Todd et rater le bateau, j'étais sincèrement prête à me noyer.

Kara et Morgan étaient toutes les deux sorties avec Todd. Morgan en quatrième. Il avait raconté tout un tas de mensonges à son sujet et s'était vanté auprès de son équipe de basket-ball qu'il était allé très loin avec elle.

Après l'avoir laissé tomber, Morgan était devenue incroyablement populaire auprès des autres garçons de la classe, jusqu'à ce qu'elle comprenne que c'était à cause de sa nouvelle réputation de fille facile.

On aurait pu penser que Kara tirerait une bonne leçon des erreurs de Morgan. Pas du tout. Todd réussissait à annihiler tout bon sens chez les filles.

Kara avait cru qu'avec elle, il serait différent, et elle s'était jetée dans l'aventure à corps perdu… pour découvrir qu'une certaine Tina McIntyre nageait dans les mêmes eaux qu'elle.

Comment les garçons faisaient-ils pour sortir avec deux filles en même temps, alors que nous, les filles, avions tant de mal à en trouver ne serait-ce qu'un seul correct ?

Mon visage s'empourpra quand je repensai à tous les malheurs que Todd avaient causés – pas seulement avec Kara et Morgan, mais avec pratiquement la moitié de notre classe. Je ne comprenais pas l'emprise qu'il exerçait sur la gent féminine. C'était l'athlète type : grand, cheveux blonds coupés ras, vêtements tendance toujours estampillés d'au moins deux logos sportifs.

En pensant à Todd, j'étais persuadée de ne pas être la seule fille de McKinley à avoir besoin de faire une pause niveau garçons.

Ces petites parvenues papillonnaient toutes autour de lui, pour son plus grand plaisir.

— Les mecs sont des porcs.

J'avais presque crié. Tracy laissa échapper un petit rire.

— Allez ! Comme si tu ne passais pas ton temps à flirter avec Ryan et Todd !

COMMENT ?

— De quoi tu parles, enfin ?

— Tu te moques de nous ? Chaque fois que Ryan est dans les parages, tu te transformes en ouragan.

— Ouais, alors ça, c'était l'ancienne Penny. Maintenant, c'est fini, le flirt. Terminé. Tu vois, je serais ravie si je ne parlais plus jamais à aucun garçon de toute ma vie.

— Les types du Cercle des Huit ne sont pas le seul problème, intervint Morgan. Ces filles sont tellement idiotes qu'elles ont zéro – je dis bien *zéro* – sujet de conversation avec leurs petits amis.

— Eh bien, dit Kara, Diane est toujours gentille avec moi. Mais Audrey et Pam sont un peu trop prétentieuses à mon goût.

Morgan fixa leur table.

— Je t'en prie. Bien sûr, elles jouent les pom-pom girls et sortent avec des athlètes – quel ennui mortel ! –, mais personne ne les aime vraiment. Tu sais ce qui est le plus ridicule là-dedans ? Tous ces types censés être les plus populaires du lycée sont méprisés par la majorité des lycéens. Et chaque fois qu'ils se montrent sympas avec quelqu'un en dehors de leur groupe, c'est toujours – *toujours* – parce qu'ils ont besoin de quelque chose.

— Exactement ! renchérit Tracy. Aujourd'hui, en cours, Diane a fait amie-amie avec moi. Et elle a fait la même chose avec Pen ce matin.

Morgan acquiesça.

— C'est clair qu'elle veut quelque chose.

— Ouais, eh bien, elle peut toujours essayer, reprit Tracy en jetant un regard mauvais à la table des Huit, elle n'est pas près de l'avoir !

A peine avais-je mis un pied en cours d'histoire que j'étais cernée de toutes parts.

Mlle Barnes, notre professeur, avait établi le plan de classe selon l'ordre alphabétique (comme c'est original !) et je me retrouvai entre Ryan et Todd, avec Derek Simpson assis deux rangs derrière moi et Kevin Parker (la principale obsession de Tracy) et Steve Powell dans les parages.

Il n'y avait que trois autres filles dans ce cours, qui avaient toutes échoué à l'autre bout de la classe.

— Bonjour, *señorita* Penny, me dit Todd quand je pris place à ma table.

Nous avions eu cours d'espagnol ensemble ce matin et (à mon grand déplaisir), il m'avait été assigné comme partenaire de conversation. Todd avait passé son temps à mettre des o à la fin de chaque mot – le *professo*, le *sandwicho*, le *footballo*.

Ryan prit place à côté de moi.

— Quelle surprise ! plaisanta-t-il.

Todd se pencha sur mon pupitre.

— Hé ! Penny, quel nom espagnol tu as choisi?

Je haussai les épaules. Je n'y avais pas vraiment réfléchi.

— Parce que je pensais m'appeler Nacho et je me disais que, si tu choisissais Margarita, quand on aura des projets ensemble, *señora* Coles devra nous appeler *Margarita et Nacho*.

Todd se mit à rire.

Je fis de mon mieux pour l'ignorer.

— Qu'est-ce qui se passe ici ? demanda Ryan. Bloom, tu me trompes avec Chesney ou quoi ? Sérieusement, je pensais que tu avais meilleur goût.

— Ouais, comme si c'était moi qui trompais tout le monde.

Todd fit un geste obscène à l'intention de Ryan, puis les deux garçons commencèrent à s'invectiver : c'était à celui qui ferait le plus de longueurs à l'entraînement ce soir.

Bon sang, n'y aurait-il pas une école pour filles dans le coin ?

Jamais je n'avais été aussi soulagée d'entendre la dernière sonnerie que ce jour-là. Je me ruai hors de la salle de classe comme si j'avais le feu aux fesses et fonçai droit sur mon casier. Là, Diane m'attendait. Non, elle attendait Ryan.

Pourtant, elle me fit signe.

N'avait-elle pas son propre casier ?

— Hé ! Penny ! Tu vas voir le match vendredi soir ?

— Ouais.

Je fis semblant d'être concentrée sur la recherche de mon cahier de biologie. Pourquoi s'intéressait-elle soudainement à mon emploi du temps ?

— Comme tous ceux qui ne veulent rater cette raclée pour rien au monde ! lança Todd, qui s'approchait avec Ryan.

Il s'arrêta à ma hauteur pour me taper dans la main.

— Même papa Bauer sera là ! Rien que pour ça, ça vaut le coup d'y aller. Ça arrive aussi souvent que – quoi ? – une éclipse de Lune ou un truc du genre…

Ryan jeta un regard mauvais à Todd et claqua la porte de son casier. Je connaissais Ryan depuis l'école élémentaire et je n'avais jamais vu son père.

Sa mère et son beau-père, bien sûr. Mais pas son père. Je savais seulement que c'était une sorte de grand avocat de Chicago.

Un silence bizarre tomba sur notre petit groupe – un groupe dans lequel je ne voulais plus être impliquée. J'attrapai mon téléphone, et mon estomac se souleva quand je découvris que j'avais reçu un autre texto.

Tu ne peux pas m'ignorer éternellement.

J'appuyai férocement sur le bouton « effacer ». Bien sûr que si !

— Penny ?

C'était la voix de Diane.

— Quoi ?

En relevant les yeux, je vis qu'elle était seule. Ryan et Todd s'étaient éclipsés. Pourquoi était-elle encore là ?

— Oh ! Hum, je me demandais juste…

Elle pliait et dépliait nerveusement le coin de son cahier de textes.

— … je veux dire, ça fait un bail qu'on a pas discuté et j'aurais bien aimé qu'on sorte toutes les deux, je ne sais pas, voir un film… ou dîner… ou ce que tu veux.

Elle me fait marcher, hein ?

— Oh ! Eh bien, euh…

45

Pourquoi tu ne me dis pas ce que tu veux, qu'on en finisse ?

— Tu es libre demain soir ?

— Hum, tergiversai-je, tentant de trouver une bonne raison de ne pas sortir avec elle.

— Je me disais qu'on pourrait aller au centre commercial et ensuite manger un morceau. Ce serait sympa, non ?

Non, pas vraiment...

J'observai Diane. Ses yeux étaient grands ouverts et elle semblait avoir sincèrement envie de passer du temps avec moi. Ou alors elle était tellement désireuse de devenir la reine du bal qu'elle était prête à faire campagne dans les lignes ennemies.

Attendez une minute ! C'est Diane Monroe. La Diane qui a annulé nos sorties un millier de fois.

Qui ne faisait jamais passer une amie avant son cher Ryan. Si j'acceptais, elle annulerait à coup sûr pour faire un truc avec Ryan. Les choses ne changent jamais.

— Pourquoi pas ? finis-je par dire.

Je pourrais toujours inventer une excuse (comme travailler au cabinet de mon père) si elle n'annulait pas la première.

Diane bondit presque sur place.

— Super ! Je passe te prendre demain après les cours !

Bien sûr, on peut toujours rêver.

— Tu as accepté de faire *quoi* ?

Tracy faillit nous jeter dans le fossé quand je lui annonçai la nouvelle le lendemain matin.

— Sérieusement, Pen, elle doit être sous tranquillisants… Il y a un truc qui cloche.

— Je sais, je l'ai vue parler à *tout le monde*.

Je m'efforçai de ne pas rire.

— Tu ne comprends pas : tu n'as même pas besoin d'être en cours avec elle. Elle est venue me parler *deux* fois *avant* le déjeuner – dans son style très pom-pom girl.

— Ouais, eh bien, je ne m'inquiète pas pour ça. Elle va annuler. Fin de l'histoire.

Dans un sens, Diane me préparait à me faire larguer par des garçons. Avec elle, c'était comme avec n'importe quel mec : les appels jamais retournés, les regards fuyants dans les couloirs du lycée, les ragots derrière mon dos.

Le téléphone portable de Tracy se mit à sonner. Elle mit son oreillette, répondit, écouta quelques secondes son interlocuteur, puis hurla :

— *QUOI ?*

Instinctivement, j'agrippai le volant pour stabiliser sa conduite.

— Tu n'es pas sérieuse ? Quand ?

Tracy serra mon bras.

— Oh ! mon Dieu !

J'avais envie de la frapper, mais je ne voulais pas mourir sur le chemin du lycée. Tracy continuait de crier tout en posant des questions.

Quand elle raccrocha enfin le téléphone, elle affichait une expression triomphante.

— Tu ne vas jamais le croire !... Ryan a rompu avec Diane.

— QUOI ? criai-je à mon tour.

Tracy fronça les sourcils.

— Tu plaisantes, hein ? J'ai vu Diane et Ryan près des casiers…

Tracy secoua la tête.

— Jen est allée au lycée tôt ce matin pour s'entraîner avec son équipe de volley, et la nouvelle est tombée. D'après ce qu'elle sait, il a rompu avec elle au début de l'été, avant qu'elle ne parte en vacances, mais personne ne l'a su parce que Ryan ne voulait pas, apparemment, que des rumeurs circulent pendant son absence à elle. Ils voulaient attendre encore quelques jours avant de le dire à tout le monde, mais Todd a fini par lâcher le morceau à Hilary Jacobs, et tu imagines ce qui s'est passé ensuite.

— C'est impossible !

Diane Monroe et Ryan Bauer étaient ensemble depuis quatre ans.

Ils étaient censés se marier, avoir deux virgule quatre enfants et cinquante pour cent de chance de vivre ensemble et heureux pour toujours.

— Mais ça explique tout ! Voilà pourquoi elle est si gentille avec tout le monde, cette petite garce artificielle.

Tracy me lança un regard entendu.

— Bon, maintenant, on sait exactement ce qu'elle veut.

Je regardai mon amie avec perplexité. Que voulait Diane ?

— Elle pense que maintenant qu'elle est célibataire, elle peut foncer retrouver sa bonne vieille copine Penny.

Sa remarque me fit réfléchir. Diane m'avait larguée pour Ryan, Ryan avait largué Diane, et maintenant elle espérait qu'on allait redevenir amies.

Sûrement pas.

— Attendez une seconde, les filles, intervint Mike. Vous êtes amies avec Diane Monroe ?

— Non, on *était* amies.

— Waouh !

Il avait l'air impressionné.

— Elle est canon. Vous pensez pouvoir me la présenter ?

— Descends de la voiture ! s'égosilla Tracy.

Mike roula les yeux et déguerpit dès que Tracy eut garé la voiture sur le parking.

— Elle me croit donc si stupide, dis-je. Après m'avoir ignorée pendant quatre ans, elle veut se servir de moi pour combler le vide laissé par Ryan ? J'ai mes propres problèmes avec les mecs, merci bien. Donc, j'annule.

— Quoi ? dit Tracy en ouvrant des yeux ronds. Pas question ! Tu dois y aller !

Je n'en croyais pas mes oreilles. Tracy détestait Diane et elle voulait que je sorte avec elle ?

— Fais-lui cracher le morceau ! Découvre pourquoi

il a largué son joli petit cul et puis déguerpis. Tu ne lui dois rien. A elle de voir ce que ça fait d'être utilisée.

— Mais je…

— Allez, Penny… J'aimerais tellement être une souris pour entendre son petit couplet pathétique. Oh ! je suis si contente que Ryan Bauer soit revenu à la raison. Je devrais peut-être le mettre sur ma liste ?

Elle réfléchit un long moment.

— Nan, j'ai toujours pensé qu'il t'allait beaucoup mieux. Enfin, ce n'est pas comme si tu cherchais un mec, hein ?

Je sentis aussitôt la migraine arriver.

♥♥♥

Ma migraine ne fit que s'intensifier quand je vis Ryan me rejoindre près des casiers.

J'étais tellement préoccupée par Diane que j'avais oublié que je devais aussi l'affronter, *lui*. Pas moyen d'échapper à une confrontation.

Non seulement je ne savais pas quoi lui dire, mais encore moins ce que j'étais censée ressentir. Devais-je être en colère contre lui ? Ou lui être reconnaissante de me prouver une fois de plus que les mecs ne font que se servir des filles ? D'accord, je ne savais pas ce qui s'était passé au juste, mais j'étais persuadée que tout était sa faute.

— Salut, Bloom, dit-il en ouvrant son casier.

— Salut, quoi de neuf ? Enfin, je veux dire…, euh…

Je fermai les yeux, priant pour qu'il se contente de tourner les talons.

— Bon, je constate que vingt-quatre heures ont suffi pour que la nouvelle fasse le tour du lycée.

Confuse, je le fixai sans mot dire.

— Alors, Diane et toi vous sortez ensemble ce soir ?

Je l'observai d'un air vide. Comment le savait-il ?

— Hé ! ça va. Je suis content que vous passiez du temps ensemble. Pour être franc, je m'inquiète un peu au sujet de Diane. Tu sais combien les gens peuvent se montrer sarcastiques.

Je m'efforçai de ne pas me sentir visée. Pas plus que Tracy.

— Quoi de neuf, Bauer ?

Todd venait de débouler sans prévenir. Pour une fois, j'étais ravie de le voir…, du moins jusqu'à ce qu'il vienne se coller à moi et passer son bras autour de mes épaules.

— Je me fiche que tu sois célibataire maintenant… Tu as intérêt à ne pas t'approcher de *ma nana*.

Pour la première fois, Ryan parut déconcerté.

Todd, lui, ne se démontait pas.

— Pourquoi tu ne vas pas voir ailleurs si tu peux briser quelques cœurs, pendant que ma partenaire *en español* et moi allons en cours ?

En prenant mon bras pour m'entraîner vers la salle de classe, il secoua la tête.

— Crois-moi, dit-il avec un soupir théâtral, Bauer célibataire, ça va nous causer des ennuis.

Ryan avait raison : la nouvelle s'était propagée comme une traînée de poudre. Tout le monde ne parlait plus que du couple déchu. Je m'efforçai de ne pas participer aux commérages, mais en tant que membre unique du Club des cœurs solitaire, je ne pouvais m'empêcher de mesurer l'injustice des gens. Personne ne s'inquiétait du sort de Ryan.

Evidemment, il aurait une nouvelle petite amie bien assez tôt et, dans le cas contraire, ce n'était pas un problème. Ce serait son choix. La loi des mecs.

Diane, quant à elle, était désormais considérée comme une marchandise avariée. Une victime. Un cœur brisé, une coquille vide.

Quand il était question de Ryan, les gens se tapaient dans la main et parlaient avec enthousiasme de sa liberté retrouvée. Mais concernant Diane, tout le monde baissait la voix, comme si elle endurait une honte suprême d'être de nouveau célibataire.

Quelle injustice !

Je le savais. Pourtant, retrouver Diane après les cours me semblait toujours aussi incongru. Une petite voix dans ma tête ne cessait de me répéter : *Si elle ne t'a pas encore laissée tomber, c'est uniquement parce qu'elle n'a plus de petit ami.*

En chemin vers notre restaurant de quartier, nous avons parlé de nos familles, de Rita qui était à la fac, de sa mère qui avait redécoré la cuisine… pour la centième fois. Arrivées à destination, nous avons discuté des cours.

Puis nous avons passé la commande. Enfin, comme il ne restait apparemment plus aucun sujet de conversation en dehors des ruptures (la sienne ou… la sienne… au choix) et de la météo, nous avons fini par nous regarder dans le blanc des yeux.

— Alors, finit par dire Diane en piochant dans sa salade, comment va Nate ? Il a passé l'été avec vous ?

Mon estomac se noua aussitôt.

— Je n'ai pas envie d'en parler.

— Oh ! répondit Diane en baissant les yeux, comprenant que sa question n'avait pas eu l'effet escompté.

Elle paraissait affreusement triste en poussant sa fourchette dans son assiette.

Enfin, elle me regarda de nouveau dans les yeux.

— Je peux te dire quelque chose ?

Je haussai les épaules.

— J'ai toujours été un peu jalouse de toi.

— *Pardon ?*

Comment Miss Perfection, le top model blond aux yeux bleu azur Diane Monroe pourrait-elle être jalouse de moi ?

— Franchement, Penny… Je veux dire *vraiment* ! Regarde-toi ! As-tu la moindre idée du mal que je me donne pour ressembler à ça ? Enfin, regarde ce que je mange, pour l'amour du ciel !

Diane repoussa sa salade à la sauce allégée, puis fixa mon sandwich poulet-fromage-mayonnaise et frites.

— D'abord, tu peux manger tout ce que tu veux et tu as toujours cette ligne fabuleuse…

Ben, voyons !

— En plus, tu as le style le plus cool du monde. Je choisis ce que je vais porter chaque matin en me basant sur ce que j'ai vu dans les magazines. Je n'ai aucun style particulier, alors que tu as ton propre look funky, totalement inimitable. Tu l'as toujours eu.

Autrement dit, j'étais une bête curieuse parce que je préférais les All Stars aux Stilettos.

— Tu sais, reprit-elle, je ne suis pas stupide. Je sais que les gens comme toi n'aimeront jamais les gens comme moi.

Comme le dirait Tracy : on aura tout entendu !

Diane se tortillait nerveusement sur son siège.

— Enfin, je voulais seulement te le dire.

— Oh !… Merci.

Je m'efforçai de sourire.

Elle piocha de nouveau dans sa salade.

— Tu te rappelles ces concerts que nous organisions pour nos parents quand nous étions petites ?

Je hochai la tête, surprise que Diane se souvienne des spectacles des Beatles que nous montions dans notre sous-sol.

— Comment tes parents appelaient le sous-sol déjà ?

Je soupirai.

— La Caverne.

La Caverne était le club de Liverpool où les Beatles avaient fait leurs débuts.

— C'est ça ! Je me rappelle que tu étais John, je faisais Paul et des animaux empaillés jouaient les rôles de Ringo et George.

Elle se mit à rire, puis se pencha.

— Et puis nous avons fait notre petit numéro à la cafétéria près du lac cet été-là.

— Quand nous sommes allées faire du *tubing* en eaux vives ?

Le regard de Diane s'illumina.

— Exactement ! C'était quoi déjà les noms de ces types ?

Je baissai les yeux, m'efforçant de me remémorer les noms des deux frères avec qui nous avions passé la semaine.

— Tu as donné une bonne leçon à ce pauvre garçon à la table de *air hockey*.

Nous éclatâmes de rire en chœur.

— Franchement, Penny, j'ai vraiment cru que tu allais te déboîter le bras, à frapper comme une folle dans le palet pour l'envoyer dans le but adverse.

Diane se mit à battre des bras à toute vitesse et manqua renverser son verre d'eau.

Et alors, une chose inattendue se produisit.

Soudain, c'était comme si les quatre dernières années s'étaient effacées. Comme si, hier encore, elle transportait mes livres partout pendant que je claudiquais avec mes béquilles et ma cheville foulée.

Nous commençâmes à nous remémorer notre amitié et, avant de m'en rendre compte, une heure déjà s'était écoulée. Diane me regardait avec espoir.

— Oh ! Penny, ça faisait si longtemps. On a toujours passé du bon temps ensemble.

Je lui souris. Nous avions tout fait ensemble, nous nous étions fait les promesses que les deux meilleures amies du monde se font au collège : aller à la même université, prendre un appartement ensemble, être la demoiselle d'honneur de l'autre.

Diane se mit à pianoter nerveusement sur la table.

— Je voulais aussi te dire que j'étais désolée…

Des larmes brillaient dans ses yeux.

— … désolée d'avoir ruiné notre amitié. De t'avoir si mal traitée. Et, surtout, je suis désolée d'avoir mis si longtemps à revenir à la raison. Je commence à comprendre ce que tu as dû ressentir. Je n'ai pas pu m'empêcher de penser à toi quand Ryan et moi avons rompu.

Sa voix se fêla quand elle prononça son nom. Les larmes roulaient maintenant sur ses joues.

— Au début, ça allait. Ma famille était partie pour les vacances d'été. Je suivais des cours de tennis pour m'occuper. Mais après deux semaines, je n'avais plus rien à faire. L'entraînement n'avait pas repris. Je me retrouvais seule, livrée à moi-même…

Elle attrapa son sac à main et y pêcha un mouchoir en papier. Reniflant, elle poursuivit :

— J'ai appelé Audrey et Pam, mais elles avaient toutes les deux des projets avec leurs petits amis et, quand elles prévoyaient une sortie avec moi, elles annulaient au dernier moment. Et je sais…, je sais que je me suis servie de toi de la même façon. Voilà pourquoi je suis si désolée.

Des flashes me revinrent en mémoire. Les moments où j'avais compris que je perdais ma meilleure amie, où je me sentais terriblement seule, où je n'avais personne.

Diane essuya ses larmes du dos de la main.

— Ça a été dur pour moi de réaliser que je n'avais pas de véritable amie. Je veux parler d'une amie comme toi. Maintenant que les cours ont repris, c'est encore pire. Avant, j'avais ma petite routine… Ryan passait me chercher, je l'accompagnais à son casier, je…, enfin, tu sais de quoi je parle. Tu nous as vus. J'avais fait de lui le centre de mon univers et, aujourd'hui, je n'ai plus rien.

Ses sanglots se muèrent en staccatos et elle s'efforça d'inspirer profondément.

— Je…

Je cherchai les mots pour la consoler, mais j'éprouvais des sentiments partagés.

Ses yeux étaient injectés de sang.

— Je suis vraiment navrée pour ce qui s'est passé entre Ryan et toi. Vraiment. Personne ne devrait ressentir un truc pareil, surtout pas pour un garçon. Mais… je ne sais pas quoi faire. Parce que je ne peux pas oublier de but en blanc que tu m'as abandonnée. Je ne sais pas ce que je serais devenue si Tracy n'avait pas emménagé en ville l'année suivante.

Diane peinait à reprendre son souffle.

— Non, tu as raison, tu as parfaitement raison. C'est juste que… je ne sais plus qui je suis. Tout le monde me voit comme Diane, la petite amie de Ryan, la pom-pom girl, la chef de classe. Je me sens tellement perdue. Une partie de moi pense qu'il faut continuer comme si de rien n'était, mais une autre partie de moi me souffle d'arrêter de faire ce que tout le monde attend de moi.

Elle secoua la tête.

— Je ne suis plus très sûre de vouloir encore être pom-pom girl. Ça ne correspond plus à ce que je suis. Je ne sais plus ce qui me plairait, je…

Je sentis mon regard s'embuer. Qui aurait pu croire que Diane et moi avions encore tant de points communs ? Je me sentais perdue, moi aussi.

Diane m'observa avec un mélange de surprise et de sympathie. Elle me tendit rapidement un mouchoir en papier. Avant de comprendre ce qui se passait, je lui racontai tout à propos de Nate. Je me sentais stupide, car je ne l'avais fréquenté que quelques semaines, et non plusieurs années.

Mais, sans savoir pourquoi, j'étais convaincue qu'elle me comprendrait. Il me fallut un moment pour réaliser que les larmes qui inondaient maintenant les joues de Diane étaient à cause de Nate.

— Oh ! Penny ! Je suis tellement désolée. C'est horrible ! Tu lui faisais confiance et il… Penny…

Elle s'assura que je la regardais bien dans les yeux.

— … tu n'as rien fait de mal.

Malgré tout le temps passé, je n'avais pas complètement oublié cette Diane. La Diane qui disait toujours les mots justes, la Diane qui me soutenait, envers et contre tout. Cette Diane était ma meilleure amie.

J'ébauchai un vague sourire.

— Ouais, bon, je ne referai plus cette erreur, jamais. J'ai décidé que c'était terminé. Tu sais, avec les garçons.

Je me forçai à rire, pour qu'elle ne me prenne pas pour une folle.

— C'est juste que... je suis malade de tout cela. Regarde-nous, toutes les deux en larmes... Et pourquoi ? Parce que nous avons fait confiance à un mec. Grosse erreur. En fait, j'ai fondé un club.

— Un club ? répéta-t-elle en se penchant vers moi. Quel club ? Qui en fait partie ?

— Moi, moi et moi. Le Club des cœurs solitaires. Tu me trouves pathétique, hein ?

Diane agrippa ma main sur la table.

— Pas du tout. Je pense que tu as traversé une rude épreuve et que tu dois faire ce qu'il faut pour tourner la page. Si seulement tu y avais pensé il y a plusieurs années, imagine les ennuis que ça nous aurait épargnés ! Mais... il reste un petit problème.

Diane sourit.

— Quoi ?

— Tu ne peux pas créer un club avec une seule personne.

Je ris à mon tour.

— Je sais, mais...

— Alors, que dirais-tu d'inscrire un second membre ? Interloquée, je la dévisageai.

— Quoi ?

— Penny ! s'écria Diane en essuyant ses larmes, visiblement ravie. Tu ne crois pas que j'en ai assez des relations amoureuses ? C'est terminé pour moi aussi. Je dois simplement trouver ma voie à présent. A moi, sans Ryan. MOI.

Un frisson d'excitation me parcourut.

— C'est exactement ce que je pense !

— Tu dois m'accepter dans ton club. Je sais que je dois regagner ta confiance, et je le ferai. Mais pour le moment, pourrais-tu réfléchir à l'idée de me pardonner ?

Elle me tendit la main. Je n'hésitai pas une seconde.

A présent, nous étions deux dans cette aventure.

9

Quand je quittai Diane, je me sentis vraiment heureuse et pleine d'espoir pour la première fois depuis des semaines. Avoir une complice, qui en plus venait de vivre une rupture, était exactement ce dont j'avais besoin.

Je pris mon téléphone et vis que j'avais reçu trois textos.

Elle a déjà commencé à pleurer ?

Si elle sanglote, prends une photo pour moi !

Le troisième venait de Nate :

Je continuerai à t'écrire tant que tu ne m'auras pas répondu.

J'ignorai celui de Nate et appelai Tracy.

— Crache le morceau ! s'écria-t-elle sans préambule.

J'étais prête à répondre, mais elle ne me laissait pas en placer une. Elle se moquait de Diane, ce qui finit par me frustrer.

— Tracy, ça suffit, dis-je en haussant le ton. Tu sais,

ça n'a pas été facile pour elle. Imagine ce qu'elle a traversé. Elle se sent perdue...

— Oh ! je t'en prie, m'interrompit Tracy, tu t'entends ? Bientôt, tu vas m'annoncer que tu l'as invitée à venir s'asseoir à notre table.

Silence de mort.

Tracy soupira.

— Tu me fais marcher, hein ? S'il te plaît, dis-moi que c'est une blague !

— Tracy, repris-je en choisissant soigneusement mes mots. Tout le monde a été très dur avec elle. Considère ça comme un acte de charité.

— J'ai déjà donné mon obole aux bonnes œuvres, répondit-elle, pince-sans-rire.

— S'il te plaît. Pour moi ?

Je n'essayai même pas de cacher l'exaspération de ma voix.

— D'accord. Mais tu me le revaudras.

Je raccrochai avant qu'elle ne tente de me faire changer d'avis.

— Tu te rends compte que tu mériterais que je te tue pour ça ? me rappela Tracy pour la quatorzième fois alors que nous nous rendions à la cafétéria, le lendemain.

— S'il te plaît, donne-lui seulement une chance, la suppliai-je.

— Hautement improbable. Je ne sais pas... Prends-moi pour une folle, Pen, mais je ne suis pas très emballée à l'idée de te voir manipulée par cette fille.

— Je sais ce que je fais.

Je me dirigeai vers une petite table dans le coin

de la salle, au cas où notre tablée se transforme en séance de crêpage de chignon. J'avais dit à Morgan et Kara qu'il valait mieux qu'elles mangent à une autre table aujourd'hui. Inutile qu'elles soient témoins de violences gratuites.

— Ouais, j'imagine que c'est aussi ce que tu te disais au début de l'été.

Je me figeai sur place.

Tracy me prit la main.

— Désolée, Pen, c'est horrible ce que je viens de dire.

Je m'efforçai de balayer cette idée de mon esprit. Les choses étaient assez compliquées comme cela sans qu'en plus je pense à… lui.

— S'il te plaît, Tracy. Pour moi. Sois sympa.

Tracy s'assit sans un mot.

— Salut, les filles ! lança Diane en s'installant à notre table. Merci de m'inviter !

Tracy lui adressa un sourire forcé.

— Oh !…

Diane déposa une boîte en carton sur la table.

— … et pour vous remercier… Muffins !

Diane poussa vers nous deux muffins agrémentés de pépites de chocolat de toutes les couleurs.

— Merci, dis-je en attrapant le plus gros et en commençant à lécher le glaçage rose.

Je fis les gros yeux à Tracy.

— Ouais, merci, maugréa-t-elle.

Diane rayonnait, probablement parce que c'était le premier commentaire positif que Tracy lui ait jamais dit.

— Tu vois, Penny, après hier soir, je me sens beaucoup mieux. Rayer les garçons de notre vie était la décision qui s'imposait. Ce club va être génial.

Oh ! oh !

Tracy nous observa l'une après l'autre.

— Quel club ?

— Eh bien, tu sais…

Les choses allaient mal tourner, je le sentais.

— … je t'ai déjà dit que pour moi les garçons ne valaient rien ?

— Ouais.

— Eh bien, j'ai décidé de ne plus les fréquenter.

— Penny…

— Tracy, est-ce que tu pourrais m'écouter une minute ?

Ma patience était à bout.

— J'ai essayé de t'en parler l'autre jour, mais tu n'arrêtes pas de m'interrompre.

Tracy ferma la bouche et se cala contre le dossier de son siège, bras croisés.

— J'en ai assez des relations amoureuses. Du moins tant que je serai dans cette école remplie d'idiots. Donc, j'ai décidé de fonder le Club des cœurs solitaires.

Elle parut confuse.

— C'est une référence aux Beatles ?

— Oui, et si tu écoutais les disques que je te prête, tu le saurais. Peu importe. Je suis sérieuse, je ne veux plus sortir avec des garçons. Et Diane a décidé de se joindre à ma croisade.

Diane se tourna vers Tracy.

— Tu devrais venir, toi aussi. Ce serait marrant.

Tracy la regarda avec mépris.

— Tu crois que je suis trop pathétique pour sortir avec un mec ?

— Hé ! ce n'est pas parce que…, m'interposai-je.

— Non, ce n'est pas ce que je voulais dire…, répondit Diane, visiblement blessée.

— Bon, et dis-moi, Diane, combien de temps votre petite association va durer ? Comme si tu pouvais te passer de ta petite cour d'admirateurs masculins.

— Tracy, s'il te plaît. Ce club est important pour moi.

— Je t'en prie, Penny !

Mon visage devint rouge de colère. Comment pouvais-je espérer que Tracy comprenne l'épreuve que Diane et moi traversions ? Tracy n'avait jamais eu le cœur brisé.

— Tu ne comprends pas ! criai-je.

C'était la première fois que je levais la voix sur Tracy.

Le groupe de nouveaux venus à la table d'à côté se leva et déguerpit.

— Je sais que tu ne comprends pas ce que je vis en ce moment, mais j'ai besoin de faire ça.

Ma voix commença à flancher et je luttai contre les larmes qui menaçaient de couler.

— Je pensais que c'était fini, mais il continue à m'envoyer des textos.

— Il... *quoi ?*

— Il...

Je n'avais pas le courage de gérer cette situation.

— Penny, dit Diane doucement, c'est un salaud. Tu ne lui dois rien.

Tracy se tourna vers Diane.

— Tu es au courant pour Nate ?

— Bien sûr qu'elle est au courant. Mais je ne veux pas parler de Nate pour le moment. Ce club, je veux qu'il existe. Surtout, j'en ai besoin. Diane me soutient. Ne pourrais-tu pas faire la même chose ?

Un silence de mort s'abattit sur notre table.

— Pen, murmura Tracy, je suis désolée si tu penses que je ne te soutiens pas, mais tu ne vois donc pas ce qui se passe ? Elle se sert de toi.

Diane tressaillit.

— Comment peux-tu dire une chose pareille ? Je ne me sers pas de Penny !

Elle marqua une pause, prit une profonde inspiration, puis regarda Tracy droit dans les yeux.

— Pourquoi est-ce que tu me détestes à ce point ?

— Je ne…

— Si, tu ne m'aimes pas.

Diane baissa les yeux sur sa salade à demi mangée.

— Je ne sais pas pourquoi, mais tu ne m'as jamais aimée. J'espérais que nous pourrions être amies, toutes les trois, parce que je sais combien tu comptes pour Penny. Je vois mal comment je pourrais être l'amie de Penny sans ton… approbation, en somme.

Tracy lui jeta un regard empreint d'une totale incompréhension.

— C'est juste que…, dit-elle d'un air bouleversé, je ne veux pas que tu éloignes Penny de moi.

Je regardai mon amie avec horreur. Comment pouvait-elle penser une chose aussi terrible ?

— Tracy, Diane ne fera jamais cela.

Diane avança le bras d'un mouvement hésitant, puis posa la main sur l'épaule de Tracy.

— Tu crois que tu pourrais me donner une chance ? S'il te plaît ?

Je renchéris :

— Tu sais que j'ai besoin de toi.

Tracy secoua la tête.

— J'imagine que je pourrais essayer… pour Penny.

Le visage de Diane s'illumina.

— Mais attends une minute, reprit Tracy en fixant Diane intensément. Si jamais, et je pèse mes mots, tu t'avises de lui faire encore un sale coup, si tu lui fais du mal, tu ne vivras pas assez longtemps pour le regretter.

Diane hocha faiblement la tête.

— J'aimerais vraiment qu'on soit amies, Penny. Vraiment.

Tracy lui adressa un sourire encourageant.

— Bon, eh bien, vu mon histoire de liste, il ne va pas me falloir bien longtemps pour vous rejoindre du côté obscur.

— Je peux voir ta liste ? demanda timidement Diane.

Tracy marqua une pause avant de la sortir de son sac.

— Pourquoi pas ?

— Oh ! je connais Paul Levine. C'est un gentil garçon, commenta Diane.

Sans doute était-ce un bon point de départ pour notre tout nouveau trio de l'amitié.

10

près quatre années à pratiquement nous ignorer, Diane et moi avions retrouvé nos vieilles habitudes étonnamment vite. Je pensais que cela serait étrange, mais je me trompais. Le duo Penny-Diane était de retour.

J'attendais Diane près de mon casier à la fin de la journée quand Ryan, visiblement bouleversé, apparut au coin. Il ouvrit son casier à la volée et enfouit ses livres dans son sac à dos avec une telle brusquerie que je crus que sa bandoulière allait craquer.

Au même moment, Diane progressait vers moi, tout sourire.

Je m'efforçai de regarder ailleurs. Certes, tous deux se parlaient toujours depuis leur rupture, mais je ne voulais pas me retrouver au beau milieu.

Ryan claqua la porte de son casier et manqua me heurter de plein fouet en se retournant.

— Pardon, dit-il.

— Hum, c'est rien.

Diane était presque à notre hauteur.

— Tout va bien ?

— Hein ?

Il avait l'air très agité.

— Je n'ai pas réussi mon examen de chimie.

— Ah ! d'accord.

Que dire d'autre ? Je n'avais jamais eu de problème pour discuter avec Ryan, mais avec Diane dans le périmètre, j'avais le sentiment de la trahir, d'une certaine manière.

— Salut ! lança-t-elle.

Plusieurs personnes ralentirent dans le couloir pour observer le couple déchu.

Ryan et Diane s'en rendirent compte.

Un étrange silence tomba sur notre petit groupe, tandis que les gens autour de nous bavardaient, disséquant nos moindres mouvements. Je dis alors la première chose qui me vint à l'esprit.

— Ryan n'a pas réussi son exam de chimie.

Ryan m'adressa un regard bizarre.

— Désolée, je…, répondis-je, mal à l'aise.

Diane leva les yeux au ciel.

— Tu ne vas pas t'en faire pour un B ? En plus, tu ne vas pas obtenir un bonus pour ce truc avec le principal ?

— Quel truc ? demandai-je.

Ryan rougit.

— Ce n'est rien. Le principal Braddock a demandé à certains étudiants de venir le voir régulièrement pour lui donner une meilleure vision des inquiétudes du corps étudiant.

Sa réponse me laissa perplexe.

— Ce n'est pas à ça que sert le Conseil des étudiants ?

Il haussa les épaules.

— Je ne sais pas. Nous n'avons eu qu'une entrevue

et je n'ai fait que parler football américain. A mon avis, il veut seulement revivre ses années de gloire.

A son époque, Braddock était l'athlète star de McKinley High et, si on venait à l'oublier, il y avait quantité de photos de lui dans la vitrine des trophées pour le rappeler à tout le monde.

— Ouais, voilà…

Ryan fut interrompu par un cri aigu provenant du couloir. Je sursautai en découvrant qu'il venait de Tracy.

Elle courut vers nous avec une expression d'excitation pure sur le visage et me sauta littéralement au cou, manquant me renverser.

— Waouh !

Tracy plaqua sa main sur sa bouche et étouffa son rire.

— Désolée ! Tu ne vas jamais croire ce qui m'arrive !

Je fis rouler mon épaule pour m'assurer qu'elle n'était pas déboîtée.

— Paul organise une fête chez lui samedi et il m'a demandé de venir !

— Paul Levine ?

— Oui ! Tu le crois ? Il est numéro trois sur ma liste.

— Waouh ! Tracy, c'est génial !

Je jetai un regard en coin à Diane, qui m'adressa un clin d'œil discret.

Tracy était absolument rayonnante.

— Donc, tu vas venir avec moi, hein ? On va tellement s'amuser ! Comme ses parents seront absents et qu'il est en dernière année, il y aura une tonne d'élèves de dernière année, peut-être même Kevin. Tu viens, hein, Diane ?

Diane parut choquée que Tracy l'inclue dans ses projets.

— Bien sûr.

— Tu vois, Pen, tu dois venir ! N'est-ce pas, Diane ?
Diane se mit à rire.

— Allez, Penny !

Il y a quelques heures à peine, Tracy menaçait Diane
et, à présent, elle se servait d'elle pour me pousser à
venir à une soirée.

— Bien sûr, j'irai avec toi.

Ryan nous regardait toutes les trois avec un mélange
de confusion et d'amusement.

Aller à une soirée me rendait légèrement nerveuse.
Parkview, avec ses dix mille habitants, était une petite
ville, et mes parents connaissaient la majorité d'entre
eux.

Si jamais j'étais surprise à une soirée sans parents
dans la maison, j'aurais de gros ennuis.

Ma mère était une petite femme, mais elle incarnait la colère de Dieu. Mieux valait ne pas la rendre
furieuse, croyez-moi sur parole.

La colère de ma mère, c'était la seule chose dont je
devais vraiment me méfier.

— Qu'est-ce que tu vas porter à la soirée ? demandai-je à Tracy tout en m'asseyant auprès d'elle sur les
gradins pour assister au match de football.

— Que va mettre Diane ?

Tracy était parfaite avec Diane depuis l'invitation
de Paul. J'espérais seulement que ce n'était pas de pure
forme.

— Peut-être va-t-on te trouver une camisole de
force pour aller avec ton attitu… Ouch !

Les doigts de Tracy s'étaient enfoncés dans mon
bras droit.

— Chuuut ! pressa-t-elle en tentant subtilement d'attirer mon attention sur quelque chose devant nous.

— Nummmérr sssst, marmonna-t-elle.

— Quoi ?

Voilà : finalement, Tracy avait perdu la raison.

— Nummméérrr ssssssssssttt ! insista-t-elle en roulant les yeux.

— Tu as une crise ?

Elle me fixa et me montra sept doigts.

— Sept ? Sept quoi ?

Visiblement frustrée, elle se pencha et glissa à mon oreille :

— Steven est le numéro sept sur ma liste.

Elle désigna du menton la rangée devant nous, où Steve Powell était assis avec quelques amis.

Si seulement elle plaisantait ! Durant les premiers jours d'école, la liste qui comptait huit candidats à McKinley s'était réduite à quatre. Mark Down avait été éliminé pour avoir parlé trop longtemps à Kathy Ehrich en trigonométrie, Eric Boyd avait coupé ses cheveux trop court, W. J. Ross avait obtenu un job dans le fast-food que Tracy aimait le moins et Chris Miller avait commis le péché ultime de sortir avec Amy Gunderson durant l'été. A ce rythme, il n'y aurait plus de liste du tout pour le bal.

— Dis quelque chose, me pressait mon amie en continuant à me donner des coups de coude.

J'allais finir par avoir des bleus.

— Euh, d'accord. Tu sais à quoi ressemble le père de Ryan ?

Je commençais à passer la foule des spectateurs en revue. Je repérai la mère de Ryan, son beau-père et sa demi-sœur, qui agitaient des pancartes *Allez, Ryan !*

Tous les parents autour d'eux m'étaient familiers, mais aucune trace d'une version plus âgée de Ryan.

Tracy grommela.

— Quoi ? Qu'est-ce que ça peut faire ? Dis quelque chose à Steve. Attire son attention !

Soudain, elle éclata d'un rire dément, puis se donna une claque sur le genou. Ce faisant, sa jambe heurta malencontreusement l'épaule de Steve.

— Oh ! pardon !

Tracy se pencha et posa sa main à l'endroit où sa jambe avait heurté Steve.

L'intéressé se retourna et sourit.

— Hé ! Salut, Tracy. Pas de problème !

— Alors, comment se passent les cours ?

Je regardai Tracy opérer sa « magie » sur Steve. J'étais impressionnée par sa décontraction apparente, alors que je savais que c'était tout le contraire.

De temps à autre, elle lui touchait le bras pour insister sur un point et riait à presque chacune de ses paroles. Les observer m'amusait tellement que j'en oubliais de regarder le match.

— Hé ! Alors, les filles, vous allez à la soirée de Paul demain soir ? demanda-t-il.

Tracy sourit.

— Bien sûr. Et toi ?

Steve hocha la tête.

— Au fait, Diane y va avec vous ? Je vous ai vues pas mal traîner ensemble toutes les trois ces derniers temps.

Tracy le fixa d'un air vide, bondit de son siège, puis se rua vers l'allée la plus proche.

Interloqué, Steve se tourna vers moi.

— Qu'est-ce qui lui prend ?

Je haussai les épaules en me précipitant à sa poursuite.

Si je n'avais pas perdu le fil des comptes, il ne restait plus que trois noms sur la liste.

11

J'avais presque peur de laisser Tracy conduire le lendemain soir, pour aller chez Paul, par crainte d'être arrêtée pour conduite en état *d'ivresse amoureuse*. Elle se regardait si souvent dans le rétroviseur pour vérifier son maquillage qu'on aurait dit qu'elle conduisait en marche arrière.

Quand nous nous garâmes enfin devant chez Paul, de nombreuses voitures étaient déjà alignées sur le côté gauche de la rue. La musique nous parvenait depuis la maison. Soudain, j'eus un très mauvais pressentiment.

— De quoi j'ai l'air ? demanda Tracy pour la douzième fois.

Par la vitre, je vis deux filles de deuxième année vêtues de jeans serrés et de morceaux de tissu minuscules en guise de hauts. En jetant un coup d'œil à ma chemise de velours à manches longues, je me sentis encore plus mal à l'aise à la perspective de cette soirée.

Nous descendîmes du véhicule et nous dirigeâmes vers la maison. Soudain, un type déboula par la porte d'entrée, se précipita vers les buissons et vomit. Tracy et moi le regardâmes, bouche bée.

Paul apparut sur le seuil.

— Mec, c'est vraiment pas cool.

Puis il éclata de rire et fit signe aux autres de venir voir le spectacle.

Tracy s'éclaircit la gorge dans l'espoir que Paul remarque sa présence.

Un stratagème payant.

— Salut, les filles !

Il nous invita à entrer, et mon cœur se mit à cogner dans ma poitrine. L'odeur de cigarette me piquait les narines. Ma mère allait me tuer si elle découvrait cette puanteur sur mes vêtements. Et je n'utilise pas le terme *tuer* dans le sens métaphorique.

Paul attrapa un verre en plastique au hasard sur une table dans le couloir et en but une grande rasade.

— Le fût est dans la cuisine. Servez-vous !

Puis il s'évanouit dans la masse des corps de la pièce adjacente.

Je jetai un coup d'œil à la porte, espérant pouvoir filer en douce. Quand je me tournai de nouveau vers Tracy, elle se faufilait déjà dans la cuisine.

Hésitante, je la suivis malgré tout à travers la foule. Je cherchai des visages familiers, mais ne reconnus que les joueurs de football et pom-pom girls avec qui Paul traînait habituellement.

Dans un coin se trouvaient les deux nouvelles de la cafétéria, Missy et Ashley. Naturellement, toute une bande de mecs papillonnait autour d'elles.

Dans la cuisine, une longue file d'attente s'était formée devant le fût. Tracy se pencha vers moi, mais la musique que beuglait la stéréo du salon couvrait ses paroles. Finalement, elle se mit à crier :

— Tu vas boire ?

Je secouai la tête vigoureusement.

— Ah ! super.

J'étais heureuse de constater que Tracy avait conservé un peu de bon sens.

— Tu conduis alors.

Après réflexion…

Ma tête commença à battre au rythme des pulsations de la batterie. Pendant que Tracy faisait la queue pour quémander une bière, je déambulai en m'efforçant d'avoir l'air à l'aise, alors que je me sentais totalement étrangère à ce lieu, comme si j'étais spectatrice d'un numéro de cirque.

— Waouh ! Qui va descendre une bière avec moi ? s'écria Todd depuis l'entrée de la cuisine. Margarita !

Il se rua sur moi et passa son bras autour de mon épaule.

— Ma Margarita est là, tout va bien, la soiréééée peut commencer !

Il se lança dans une sorte d'imitation de robot, mais il était déjà trop mal en point pour exécuter le moindre mouvement de danse.

Ryan arriva à son tour dans la cuisine et parut inquiet de voir Todd pendu à mes basques.

— Hé ! Todd, je crois que les petites nouvelles aimeraient en savoir plus sur ton coup de maître, l'interception qui nous a propulsés en championnat régional l'année dernière.

Todd se tourna vers Ryan et lui tapa dans la main.

— Génial ! Je ne voudrais pas décevoir ces demoiselles…

Sur ces mots, il quitta la cuisine sous le regard las de Ryan.

— J'ai pensé que tu avais besoin d'air.

— Merci, il, euh…

— Laisse tomber. Je n'arrête pas de lui dire qu'un

de ces jours, il va se faire pincer. Le coach Fredericks nous virerait de l'équipe s'il nous surprenait en train de boire.

Je hochai la tête sans pouvoir m'empêcher de remarquer que Ryan avait lui aussi un verre en plastique à la main. Allais-je devoir raccompagner tout le monde ce soir ?

— J'avoue que je suis un peu surpris de te voir ici.

— Pourquoi ? Je suis tellement nulle que je suis incapable d'aller à une soirée bière ?

Mon ton agressif me surprit moi-même. A l'évidence, j'étais sur la défensive.

— Non, non, pas du tout, répondit Ryan en levant les mains. Je pensais juste que les invités n'étaient pas trop ton genre. Pour être honnête, je suis soulagé de te voir. Au moins une personne qui peut parler d'autre chose que de sport, d'alcool et de... enfin, tu sais.

Bien sûr, il faisait référence à sa rupture. Il m'adressa un sourire en pointant son verre rempli d'un liquide noir.

— Je vais me rechercher un soda, tu en veux un ?

J'acquiesçai, reconnaissante de ne pas être obligée de faire la queue devant le stand de bière pour continuer à discuter avec Ryan. Il se dirigea vers le comptoir de la cuisine et remplit deux verres de glaçons, juste au moment où Tracy revenait du fût avec un verre rempli d'un liquide mousseux.

— Je n'en reviens pas du nombre de filles qu'il y a ici ! Allez, souhaite-moi bonne chance, je vais chercher Paul.

Avant que j'aie pu répondre, elle avait pris une profonde inspiration et s'était noyée dans le salon bondé.

— Tu veux t'éloigner du bruit ? cria Ryan par-dessus la musique.

J'acquiesçai et nous nous dirigeâmes vers le fond du jardin. Là, nous nous assîmes sous l'immense saule.

— Hé ! Je me demandais. Cette liste a fini par marcher avec tes parents ?

— Quelle liste ?

Il se passa la main dans les cheveux.

— *Les dix raisons pour lesquelles Penny a besoin d'une voiture.*

Je n'en revenais pas qu'il se souvienne de cette lubie.

— Non, ça n'a pas marché. Même avec des arguments comme : *Une nouvelle pure fan des Beatles.*

— Dis-moi : combien de fois par semaine travailles-tu au cabinet de ton père ? J'ai l'impression que chaque fois que j'y vais, tu y es.

— Oh ! pas si souvent. Seulement quelques jours par semaine. Un peu d'argent de poche supplémentaire.

Je me mis à trembler et regrettai de ne pas avoir emporté un pull. Ryan ôta sa veste.

— Tiens, mets ça.

Je pris sa veste et l'enfilai. Elle était trois fois trop grande pour moi, mais au moins j'avais chaud.

— Alors, Diane et toi vous vous êtes bien amusées l'autre soir ?

Je baissai les yeux. Parler de Diane à Ryan me mettait mal à l'aise. Ils s'entendaient toujours bien, apparemment, ce qui me surprenait. Pour ma part, tous les types avec qui j'avais rompu (ou qui m'avaient larguée) n'existaient plus. Ou, de préférence, étaient morts.

— Ouais, euh, ce n'est pas bizarre pour toi ?

Il m'étudia une seconde.

— Je sais que ça peut te paraître étrange et que j'ai sûrement l'air d'un imbécile, mais Diane représente une grande partie de ma vie. Je ne peux pas imaginer ne plus jamais lui parler. Même si les gens ont du mal à saisir le concept, nous sommes toujours amis.

— Tu ferais bien de faire attention : tu pourrais rendre Todd jaloux, lui dis-je en souriant.

Il se mit à rire.

— Chaque année, je me dis que Chesney va finir par se calmer, mais c'est de pire en pire au contraire !

Il secoua la tête.

— Tu sais, je ne devrais probablement pas te dire cela, mais…

— Quoi ?

Quel ragot Ryan allait-il raconter sur Todd ? J'étais curieuse de le savoir.

— Tu as déjà entendu parler des vetos ? Les gars de l'équipe mettent des vetos sur les filles qu'ils aiment bien pour interdire aux autres de s'en approcher.

— La fille a-t-elle son mot à dire sur le sujet ? demandai-je, même si ce comportement n'aurait pas dû me surprendre de la part de tous ces types.

Ryan secoua la tête.

— Hé ! Moi-même j'essaie encore de comprendre comment ça fonctionne.

— Hmmm.

J'étais enchantée de ne plus avoir à m'inquiéter de ce genre de bêtises.

— Enfin, méfie-toi de Todd.

— Pourquoi ? Tu sais, en dehors du harcèlement quotidien…

Ryan étendit ses longues jambes et les étira à côté des miennes.

— Eh bien, Todd a le béguin pour toi et a mis son veto sur toi. Et il peut se montrer plutôt persévérant quand il a un truc en tête.

Oh ?

Oh !

Oh non !

Silence. Ryan me regarda avec perplexité. Je m'efforçai de ne pas avoir l'air totalement dégoûtée. C'était bien la dernière chose dont j'avais besoin.

— Désolé, je n'aurais sûrement pas dû te le dire.

— Non, pas de problème. Je suppose que j'aurais dû m'y attendre. Avec quelle autre fille de la classe n'est-il pas encore sorti ?

Ryan ne semblait pas d'accord.

— Tu te sous-estimes, Bloom.

— S'il te plaît, grommelai-je, c'est juste que… On pourrait parler d'autre chose que de Todd ?

— Absolument. De quoi veux-tu parler ?

— De n'importe quoi sauf de Todd.

Nous parlâmes alors de tout et de rien. Sauf de Todd. Ryan me raconta des anecdotes amusantes sur son job de sauveteur en mer. Je lui soumis ma théorie selon laquelle ma mère allait finir par quitter son boulot pour se consacrer à Paul McCartney à plein temps. Nous nous demandâmes ensuite où Michael Bergman traînait entre les cours, vu qu'aucun de nous deux ne le voyait jamais à son casier, qui se trouvait entre les nôtres. Je découvris aussi que Ryan paniquait chaque fois qu'il voyait mon père, par crainte d'être sermonné pour son hygiène dentaire laxiste – mon père ne plaisantait pas avec le fil dentaire (celle-là, je la retenais pour plus tard).

Puis Ryan fit tout capoter en s'attaquant à ma personnalité.

— Tu n'y es pas du tout ! protestai-je.

Il rejeta la tête en arrière et éclata de rire.

— Oh ! ben, voyons… Tu vas nier que tu n'es pas une petite oie blanche ?

— D'abord, il faut être une oie blanche pour employer une expression pareille.

— Tu marques un point. Mais avoue… Tu crois que je ne sais pas ce qui s'est passé l'année dernière, pendant l'inspection des casiers ?

Oh ! zut.

— Je ne vois pas du tout à quoi tu fais allusion.

Ryan se pencha vers moi de manière à me regarder droit dans les yeux.

— Tu le sais très bien.

Je haussai les épaules.

— Vraiment, Ryan, avec une oie blanche comme moi…

Il explosa.

— D'accord ! Alors, dis-moi la vérité : cachais-tu oui ou non de l'alcool dans ton casier quand Braddock a fait son inspection au printemps dernier ?

Quelle injustice !

— Techniquement, *moi*, je ne cachais rien dans mon casier.

— Oh ! Vraiment ?

— Vraiment.

Il me fixa d'un air triomphant. Il savait que j'étais piégée.

— Mais il y avait de l'alcool dans ton casier.

Je hochai la tête.

— Seulement parce que Michael a mis sa veste dans mon casier à la dernière minute.

— Et pourquoi a-t-il fait cela ?

— Parce qu'il planquait une bouteille de vodka dans sa veste.

— Et...

J'observai Ryan avec perplexité... C'était à peu près tout. Nous avions eu une inspection surprise au printemps dernier, et Michael avait paniqué et fourré précipitamment sa veste dans mon casier. Je n'avais rien pu dire, car Braddock avait fouillé le casier de Michael de fond en comble... regardant à peine le mien.

— Oh ! attends...

Le regard de Ryan s'illumina.

— Tu vois.

— Oh ! mon Dieu ! Les gens pensent que je suis une oie blanche !

— C'est pour ça qu'il l'a fait... Il savait que ton casier ne serait pas contrôlé.

Il se mit à rire tout en me chatouillant les côtes.

— D'accord, et toi alors ?

L'heure de la vengeance avait sonné.

— Oh ! moi je suis le parfait mauvais garçon.

Il n'osait plus me regarder en face.

— Et depuis quand les mauvais garçons participent-ils au comité des lécheurs de bottes du principal Braddock ?

Le regard de Ryan s'étrécit.

— Le Comité consultatif étudiant, merci beaucoup.

— Oh ! excuse-moi ! Je sais combien il a été difficile pour toi de gagner tous ces brownies pour être accepté !

Il prit un air exagérément outré.

— Ma vie entière était dédiée à l'intégration de ce comité. Je ne te permets pas de me ridiculiser !

— Pardon, je ne voulais pas te vexer. Hmmmm...

Je me levai pour examiner l'endroit où il s'était assis.

— Qu'est-ce que tu cherches ?

— Ton sac à main.

Il se leva d'un bond et, avant que je comprenne ce qui m'arrivait, il m'avait jetée sur ses épaules.

— Fais-moi descendre ! criai-je.

Pour toute réponse, il rit et me fit tournoyer.

Ce n'est qu'une fois au sol, encore tout étourdie, que je vis que Diane nous observait avec perplexité.

— Hé ! les gars, euh…

Diane avait l'air encore plus mal à l'aise que nous.

— Penny, je te cherche depuis une demi-heure. Je ne t'avais pas vue entrer. Tu devrais rentrer : Tracy ne se sent pas très bien.

Tracy !

Quelle horrible amie je faisais ! J'avais complètement oublié qu'elle était à l'intérieur… en train de boire. Je rendis sa veste à Ryan et suivis Diane dans la maison. Elle me conduisit à la salle de bains du second étage où Tracy gisait sur le carrelage, le visage d'une drôle de nuance de vert. Je m'accroupis près d'elle et lui ôtai une mèche du visage.

— Qu'est-ce qui se passe ici ? croassa Tracy en désignant Diane du doigt.

— Doucement, lui dis-je en l'aidant à se relever.

— Attends, intervint Ryan.

Il rinça son verre, le remplit d'eau et le tendit à Tracy.

— Elle va avoir besoin de ça d'abord.

Ryan, Diane et moi attendîmes dans un silence tendu que Tracy se force à avaler deux verres d'eau – ce qui sembla durer une éternité.

— Tu ne l'éloigneras pas de moi ! bredouilla-t-elle.

Diane commença à battre en retraite, mais Ryan s'interposa.

— Bon, il est temps de rentrer à la maison.

— Stop ! lança Tracy en repoussant Ryan. Je ne veux pas que Paul me voie dans cet état. Je peux marcher toute seule. Je vais lui dire au revoir.

Diane m'adressa un regard bizarre que je ne parvins pas à déchiffrer.

— Je ne pense pas que ce soit une bonne idée, Tracy. Franchement, tu ferais mieux de le laisser se demander où tu es passée. Je pourrais même lui laisser entendre que plusieurs mecs étaient après toi...

Tracy trouva l'idée bonne et accepta de partir sans faire d'histoires.

En bas de l'escalier, nous vîmes Todd debout sur le canapé, en train de danser torse nu.

— Pas question, Penny ! hurla-t-il. Tu ne peux pas partir !

Il dégringola du canapé et se jeta sur moi, manquant me renverser. Ryan l'agrippa pour le maintenir en équilibre.

Pendant ce temps, Diane essayait de guider Tracy, qui ne cessait de la repousser.

Quel cauchemar.

— Margrrrrita ! bêla Todd. Margrrrritaaa, où étais-tu ?

— Elle discutait dehors avec moi, répondit Ryan.

Todd repoussa brusquement Ryan.

— Bon sang, Bauer ! Que... Tu ne..., tu n'as pas besoin..., besoin... Tu peux pas...

— Je n'ai rien fait, Todd. Calme-toi.

Ryan le plaqua par les épaules.

— Penny et moi sommes juste amis. Je ne ferai jamais rien avec elle. Tu devrais le savoir.

— Ouais, et j'aurais dû savoir que je n'avais rien à faire ici.

Pour aggraver les choses, Missy débaula de nulle part et se pendit au cou de Ryan.

— Hé ! sexy ! Je t'ai cherché partout !

J'agrippai la main de Tracy et la traînai jusqu'à la voiture. Diane l'aida à mettre sa ceinture de sécurité pendant que j'ajustais le rétroviseur.

Ryan nous rejoignit en courant (il avait réussi par miracle à échapper aux griffes de Missy) et tapa à la vitre. Je l'ouvris.

— Désolé pour ça. Je ne voulais pas lui donner des raisons supplémentaires de sortir de ses gonds.

— Ça va, dis-je en trafiquant la radio de Tracy.

— Tu es fâchée ?

Je pris une profonde inspiration. Qu'est-ce que je ressentais au juste ? Aucune idée.

— Non, ça va, je t'assure. Cette soirée a été un vrai désastre.

— Oh ! murmura-t-il. Eh bien, moi, je me suis bien amusé.

— Ah ! tant mieux pour toi.

Sur ces mots, je démarrai en trombe.

12

L'atmosphère était un peu étrange le lendemain matin. Tracy avait une gueule de bois carabinée et se sentait très mal. Diane voulait me parler, et je devinais que c'était à propos de Ryan.

— Salut ! Comment se sent Tracy ? demanda Diane en entrant dans ma chambre.

— Pas terrible. Elle prend une douche.

Je désignai le couloir du menton.

— Je n'aurais jamais pu la ramener chez elle hier soir. Il aurait fallu qu'elle soit discrète.

Diane balaya la pièce du regard.

— Waouh ! J'avais oublié combien ta chambre était cool.

Mes murs étaient couverts de posters des Beatles et des dizaines de vieux billets de concert étaient épinglés sur mon tableau. J'imagine que c'était plutôt cool. Pour moi, ce n'était que ma chambre.

— Bon, je suis contente de pouvoir être seule avec toi quelques minutes, parce que j'ai quelque chose à te dire.

Diane s'assit sur mon lit, l'air nerveux.

— Il ne se passe rien entre Ryan et moi, lâchai-je aussitôt.

— Quoi ?

Je me mis à faire les cent pas dans ma chambre.

— Je me sentais vraiment mal à cette soirée ; alors, quand il m'a proposé d'aller faire un tour dehors pour échapper à la fureur ambiante, je l'ai suivi. Enfin, c'est un mec, c'est l'ennemi. Sans parler du fait qu'il t'a brisé le cœur. Je ne ferai jamais – je dis bien *jamais* – rien avec lui.

Diane secoua la tête.

— Je le sais bien. J'étais surprise de vous voir tous les deux... La situation était un peu gênante, ajouta-t-elle avec un petit rire, mais vous avez toujours été amis. Non, je voulais te parler de Tracy. Vois-tu... J'ai vu Paul embrasser quelqu'un à la soirée.

— Oh ! oh !

— J'étais avec Audrey et Pam, et puis j'ai voulu aller aux toilettes. Et là, à l'étage, je suis tombée sur lui...

Tracy allait tuer la messagère ! Aucun doute là-dessus !

Je m'allongeai sur mon lit.

— Ça ne va pas être beau à voir, dis-je à Diane. Elle croyait vraiment qu'il allait l'inviter à sortir.

Diane se tortillait nerveusement sur mon lit, puis elle se mit à tripoter l'ourlet d'un de mes oreillers.

— Ah ! Ça va beaucoup mieux ! s'exclama Tracy en déboulant dans ma chambre, une serviette enroulée autour de la tête. Bon, il est grand temps de réfléchir au désastre d'hier soir. Jamais Paul ne m'invitera à sortir après ça, hein ?

Diane et moi nous regardâmes sans mot dire, mal à l'aise.

Tracy paraissait épuisée.

— D'accord, d'accord, je sais, je suis désolée.

Que savait-elle au juste ?

— D'abord, dit-elle en se tournant vers Diane, je suis désolée de t'avoir rudoyée. J'essaie d'être une amie compréhensible et sympa. Et je sais, *je sais*… Je n'aurais pas dû boire toute cette bière, mais j'étais sous pression. Je me suis ridiculisée et bla-bla-bla…

Tracy couvrit son visage de ses mains.

— Seulement, par pitié, dites-moi que Paul n'a pas terminé la soirée avec l'une de ces petites greluches…

Diane me jeta un coup d'œil affolé.

— Non, pas du tout.

Tracy se rassit un peu trop vite, de sorte qu'elle dut se rallonger et se rouler sur le côté, la tête entre les mains.

— Ah ! tant mieux. J'ai cru que j'avais tout gâché…

Silence. Le visage de Diane exprimait la panique pure et simple.

Tracy haussa les sourcils.

— Attendez, qu'est-ce qui se passe ? Qu'est-ce que vous ne me dites pas ? Paul est sorti avec quelqu'un hier soir ?

Diane me regarda, mais je me contentai de hausser les épaules.

Moi aussi, je voulais savoir qui c'était. D'autant que cette fille devrait être placée sous surveillance rapprochée dès que Tracy apprendrait son identité.

Avant que Diane pût dire un mot, Tracy roula sur le ventre et plaqua un oreiller sur sa tête.

— Je le savais ! Pourquoi s'intéresserait-il à moi ?

Je lui arrachai l'oreiller.

— Ne sois pas ridicule ! Je t'ai dit un millier de fois

que n'importe quel mec aurait une chance incroyable de t'avoir dans sa vie.

Elle leva les yeux au ciel.

— Laisse tomber. Je veux Paul. Pourquoi il ne m'aime pas ? Je suis grosse ?

— Tracy ! Ça suffit !

— Pourquoi alors ?

Des larmes perlaient à ses yeux.

— Dites-moi ce qui ne va pas chez moi et je le changerai – mes cheveux, la couleur de mes yeux, ma personnalité ? Qu'est-ce qu'il n'aime pas chez moi ?

Diane s'approcha d'un pas hésitant de Tracy et posa une main sur son épaule.

— Ce n'est rien de tout cela. C'est quelque chose que tu ne peux pas changer.

Tracy renifla et se tourna vers nous.

— Qu'est-ce que tu veux dire ?

— Je veux dire que tu n'es pas un garçon. J'ai surpris Paul en train d'embrasser Kevin Parker.

Oh ! mon Dieu !

Tracy se rassit et essuya ses larmes.

— Quoi ? demanda-t-elle, confuse. Qui ?

Diane changea de nouveau de position, mal à l'aise.

Tracy et moi étions sous le choc.

— Tu es en train de me dire que les numéros un et trois de ma liste sortent *ensemble* ? Et que Kevin Parker, athlète surperstar que je vénère depuis des années est… *gay* ?

Diane paraissait effrayée.

— Je sais seulement ce que j'ai vu.

— Eh bien, dit Tracy en secouant la tête, je suppose que tout s'explique.

— Comment cela ? demandai-je, perplexe.

— Voyons ! Tout le monde au lycée a un petit ami sauf moi. Même Kevin a un petit ami !

Elle se mit à rire.

— Oh ! c'est tellement incroyable. Je veux dire : j'en ai assez des listes, sans parler des mecs !

Son sourire s'évanouit.

— Je suis totalement à côté de la plaque.

Je tentai de protester, mais elle me coupa la parole.

— Mike a tout le temps une petite amie – il traînait avec une certaine Michelle le week-end dernier lors d'une soirée pour les nouveaux venus et maintenant, ils sont ensemble. Michael et Michelle. Merde.

— Tu vois, Tracy, voilà pourquoi on a totalement laissé tomber les garçons, déclarai-je en faisant mine de m'en laver les mains. Terminé. On passe à autre chose. Ils ne méritent pas qu'on s'inquiète pour eux.

Et comme si Nate avait senti que j'essayais de l'oublier, mon téléphone se mit à vibrer. Je lui jetai un coup d'œil hésitant.

Aussitôt, Tracy bondit sur ses pieds.

— C'est ridicule !

Elle ouvrit mon téléphone et lut le texto :

Je n'arrive pas à croire que tu sois aussi têtue.

— Il est sérieux, là ? Quel salaud !

Les doigts de mon amie se mirent à pianoter sur le clavier de mon téléphone.

— Qu'est-ce que tu fais ? demandai-je, paniquée. Détruis-le, c'est tout !

— Non, je vais lui dire ma façon de penser.

Mon estomac fit un triple saut.

Je me précipitai sur Tracy pour tenter de lui reprendre

mon téléphone, mais elle appuya sur « envoi » et le referma d'un claquement sec.

— Voilà. Il n'y a rien de mal à lui dire d'aller au diable, n'est-ce pas ?

Diane sourit.

— Tu vois, Tracy, il est évident que, pour toi aussi, les garçons sont devenus une source de migraines. C'est tellement stupide. Plusieurs pom-pom girls ne sortent avec des garçons que pour avoir un cavalier le jour du bal.

Diane se tourna vers moi.

— Hé ! Penny, et si on allait au bal ensemble ?

— Quoi ? demandai-je, le regard rivé sur mon téléphone.

— Le bal ? Toi et moi ?

— Oui !

— Franchement, dit Tracy en rangeant mon télé-phone dans le tiroir de mon bureau, je veux dire, sérieu-sement, vous iriez au bal ensemble ?

Je reportai mon attention sur le Club.

— Bien sûr ! C'est la raison d'être de ce club. Nous n'avons plus besoin des garçons !

— Oh ! J'adore cette idée ! s'exclama Diane en se levant et en battant des mains, dans le style typique des pom-pom girls. Et je t'achèterai des roses pour la Saint-Valentin. Je rendrai tous ces idiots jaloux ! ajouta-t-elle en me faisant un clin d'œil.

Tracy grommela, puis enfouit sa tête sous un oreiller.

— Tracy, je suis vraiment désolée à propos de tout cela, et je sais que ce club ne te plaît pas beaucoup, mais essaie de te mettre à ma place.

Mon amie émergea de sous son oreiller.

— Non, je râle parce que j'abandonne tout.

Contente ? Votre club est prêt à accueillir un troisième membre ?

J'hésitai. Même si je voulais qu'elle en fasse partie, je voulais qu'elle le fasse par conviction, non par dépit.

— Tu es sûre ?

Elle hocha la tête.

— Oui, enfin, ce n'est pas comme si ça allait changer quoi que ce soit pour moi, quand tu y réfléchis.

Diane étreignit Tracy qui…, étonnamment, ne la repoussa pas.

On pouvait considérer cela comme un bon départ.

— Au Club des cœurs solitaires ! dis-je en levant la main, rapidement rejointe par mes deux acolytes.

— Au Club ! répétèrent-elles en chœur.

J'allumai ma stéréo et mis un disque des Beatles.

Tracy se trémoussa devant moi.

— Si je dois être un Beatle, est-ce que je pourrais être Yoko?

Elle savait comment me faire bisquer. Je me penchai, attrapai un oreiller sur mon lit et le lui jetai à la tête. Elle se le prit en pleine figure.

— Hé !

Tracy me pourchassa pour m'empêcher d'agripper un second oreiller. Il fallut quelques minutes à Diane pour se décider à entrer dans la partie ; aussi Tracy profita-t-elle de son indécision pour lui lancer un coussin droit dans l'abdomen. Diane la regarda d'un air de totale incompréhension.

— Vous, les pom-pom girls, vous êtes des petites natures, Monroe !

Sur ces mots, Diane bondit sur mon bureau et bombarda Tracy de coussins jusqu'à ce que ma chambre soit sens dessus dessous.

Quand Diane reprit enfin son souffle, elle dit :

— Tu dois bien le reconnaître : on ne va vraiment pas s'ennuyer dans ce club.

Tracy roula sur le ventre.

— Et nous n'en sommes pas encore à sacrifier des chèvres vivantes... ni des mecs !

13

Le lundi matin, je tentai de récupérer mes livres d'espagnol aussi vite que possible tout en me demandant comment éviter Todd, mon partenaire de conversation.

— Chesney !

C'était la voix de Ryan.

Super.

Un bras m'entoura les épaules. Je levai les yeux pour découvrir le sourire de Todd.

— Salut, Margarita. Alors, la soirée de samedi était incroyable, hein ?

Je lui adressai un faible sourire.

— Tu aurais vraiment dû rester plus longtemps.

— Bien sûr, intervint Ryan. Qu'est-ce qu'elle a raté, au fait ?

Todd fixa le sol comme s'il tentait vainement de s'en rappeler.

— C'est bien ce que je pensais, continua Ryan en me faisant un clin d'œil. Bonne chance, Penny.

Ryan prit la direction de sa classe en secouant la tête d'un air navré.

Le bras de Todd toujours sur mon épaule, j'accélérai l'allure.

— Hé ! Ralentis ! lança-t-il en m'enlaçant par la taille. Ton mec se remet seulement de son week-end.

— Euh, en fait, je dois parler à *señora* Coles avant le cours de, euh, d'un truc.

J'ôtai sa main de ma taille et me mis pratiquement à courir.

Serait-il plus subtil de porter un tee-shirt avec la mention : *Merci de ton intérêt, mais je ne sors plus avec personne.*

Todd n'était pas un grand fan de lecture, mais il adorait reluquer mes tee-shirts.

— J'ai une question un peu bizarre à te poser, me dit Morgan pendant que nous allions vers la classe de bio.

— Euh, oui ?

— Tu as déjà demandé à un garçon de sortir avec toi ?

— Non, pourquoi ?

Elle ralentit le pas.

— Eh bien, je m'intéresse à un type, mais il est un peu timide ; alors, je pense qu'il ne fera pas le premier pas.

— Oh !

Inutile de demander à Morgan de rejoindre le Club.

— Je ne suis pas la mieux placée pour parler des garçons. J'ai pour ainsi dire décidé de m'en passer, enfin, tu vois...

— D'accord, désolée, répondit-elle en se mordillant la lèvre.

— Enfin, vas-y. C'est qui ? lui demandai-je en pénétrant dans la classe à sa suite.

Morgan fit un geste en direction du garçon assis au premier rang.

Tyson Bellamy se pencha sur sa chaise, ses longs cheveux lui couvrant la moitié du visage tandis qu'il griffonnait furieusement quelque chose sur son calepin.

— Tu ne le trouves pas mignon ? demanda Morgan en rougissant.

Tyson leva les yeux avec une expression d'intense concentration.

Même si je m'intéressais aux garçons, Tyson n'était vraiment pas mon type – longs cheveux noirs, ultra-mince, tee-shirt de rocker vintage. En fait, il incarnait ce mystère typique des vrais rockers. En dehors du fait qu'il était un suppôt de Satan (étant un mec), il semblait parfait pour Morgan, véritable fan de punk rock. Elle était l'une de mes rares amies qui comprenaient l'importance culturelle des Beatles.

— Tu viendrais avec moi à son concert de vendredi ?

Je n'étais pas d'humeur à jouer les entremetteuses, mais après le cinéma que Tracy m'avait fait lors du dernier match de football américain, j'étais enchantée d'avoir une excuse pour ne pas assister au prochain.

— Bien sûr..., mais, Morgan, je ne serai pas une très bonne alliée.

Elle se mit à rire.

— Mais tu es ma complice de concerts. Tu dois venir avec moi ! On aura pas besoin de parler de mecs. Juste d'écouter la musique. Et après, on s'en ira.

La soirée idéale, en somme.

— Alors, on va définir des règles pour notre club anti-mecs ? demanda Tracy au cours du petit-déjeuner.

— Il s'appelle le Club des cœurs solitaires, lui rappelai-je.

— Ouais. Et on devra porter des tee-shirts assortis

ou bien des ceintures de chasteté ? J'ai hâte de voir le logo !

— Tracy...

— Je trouve qu'avoir des règles, des principes ou un mantra quelconque serait sympa, dit Diane, interrompant ce qui ressemblait à notre première dispute officielle au sein du Club.

Comme il faisait encore beau, nous avions décidé de manger à l'extérieur. Je m'adossai à un gros chêne et croquai ma pomme.

Tracy s'assit.

— S'il te plaît, laisse-moi écrire les règles. Ce serait tellement amusant !

— D'accord. Comme tu veux...

Tracy s'empara de son bloc-notes et se mit à écrire quelques suggestions. Je me calai contre le tronc de l'arbre et fermai les yeux.

— Parfait. Je vais faire un brouillon et je le présenterai lors de notre première réunion officielle de samedi soir. Ça te va, boss ?

— Dans quel pétrin m'étais-je fourrée ?

— Salut, les filles ! Quoi de neuf ?

Morgan venait de nous rejoindre, suivie de Kara.

— On parle de notre nouveau club.

Kara jeta un coup d'œil aux notes de Tracy.

— Le Club des cœurs solitaires ?

— Nous avons toutes les trois décidé de ne plus sortir avec les idiots du lycée... ni d'aucun autre lycée en fait, dis-je en souriant.

Les yeux de Morgan s'arrondirent.

— Tu ne plaisantais pas alors ?

— Non !

— Je ne comprends pas, dit Kara.

— Il n'y a pas grand-chose à comprendre, expliquai-je. J'en ai juste marre des garçons. Ils ne nous causent que des problèmes.

Diane et Tracy approuvèrent.

— Donc, tu ne sortiras plus jamais avec un garçon ? Jamais ?

— Non, pas pour toujours. Seulement le temps du lycée.

— Oh ! dit Kara en baissant les yeux sur son verre d'eau.

Etant donné la façon dont les garçons comme Todd l'avaient traitée par le passé, on aurait pu penser qu'elle comprendrait.

Morgan me fixa.

— Tu me hais de t'avoir demandé de venir à ce concert avec moi, hein ?

— Non, pas du tout. Je te disais seulement que je n'étais pas la personne la plus indiquée pour t'encourager à sortir avec un garçon, puisque je suis presque certaine que Tyson est un suppôt de Satan.

— Qu'est-ce que tu reproches à Tyson ? dit Morgan, sur la défensive.

— Eh bien, c'est un *mec...*

Tracy intervint.

— Je pense qu'elle a compris, Pen.

— Hé ! Tracy ! lança Jen Leonard depuis l'arbre suivant. De quoi vous parlez ? Si vous descendez les garçons, j'ai quelques bonnes histoires à vous raconter.

Tracy s'avança vers elle.

— Venez nous rejoindre. Laissez Penny, notre leader, vous montrer la voie...

Jen et Amy Miller, deux élèves de troisième année avec qui je m'entendais bien depuis le collège, s'approchèrent. Elles étaient aussi inséparables que dissemblables. Jen était la sportive, capitaine de plusieurs équipes féminines, au caractère bien trempé, tandis qu'Amy avait tout de l'élève studieuse, avec sa jupe et sa veste classiques, comme si elle allait au bureau et non au lycée.

Tracy leur donna les détails du Club avec enthousiasme. Morgan et Kara se tenaient coites. Elles devaient se demander dans quoi elles étaient tombées.

— Attendez ! s'exclama Amy. Je vous ai entendues dire en arts plastiques que vous alliez acheter des robes pour le bal. Avec qui comptez-vous y aller ?

— On ira toutes ensemble, expliquai-je. Ce sera bien plus drôle que d'y aller avec des types qui vont nous assommer avec les sujets favoris de la gent masculine.

— Assommants, ces mecs ! railla Tracy.

Amy et Jen se regardèrent. Puis Amy se tourna vers nous.

— Ça me semble cool... Je peux me joindre à vous ?

— Amy ! protesta Jen. Tu vas vraiment décider de ne plus sortir avec aucun garçon pendant deux ans ? Juste comme ça ?

Amy secoua ses longs cheveux noirs.

— S'il te plaît, ce n'est pas une décision facile. J'en ai assez de tous ces types à l'école, en particulier après ce que Brian Reed m'a fait en cinquième.

Tracy et moi échangeâmes des regards confus.

— Que t'a fait Brian ?

Les yeux d'Amy s'agrandirent.

— Tu ne t'en souviens pas ?

Je secouai la tête.

Elle soupira.

— Enfin, c'était il y a un bail. Mais j'y pense encore

parce que j'ai l'impression que les garçons n'ont pas changé depuis cette époque. Je veux dire, ils sont tellement gamins !

Kara se joignit à la conversation.

— Qu'est-ce qui s'est passé ?

Amy s'assit.

— Eh bien, Brian et moi étions ensemble... Enfin, *ensemble* est un bien grand mot. Il me ramenait à la maison après les cours une fois de temps en temps et, le vendredi soir, nous allions aux arcades où je le regardais jouer à des jeux vidéo. Un jour, sans prévenir, il est venu me trouver à la cantine et, devant tout le monde, il a dit : « Les roses sont rouges. Les violettes sont bleues. On jette les poubelles, et toi aujourd'hui c'est pareil. » Tous les types idiots à table se sont mis à rire.

— Attends, je m'en souviens maintenant, dit doucement Diane. Brian peut vraiment être odieux.

— J'ai été traumatisée toute l'année. Tous ses imbéciles de copains jetaient leurs poubelles quand je passais devant chez eux. Aujourd'hui encore, je ne sais toujours pas ce que j'ai fait pour mériter ça. Et puis l'autre jour, Brian a eu le culot de venir me parler, comme s'il ne m'avait pas complètement humiliée et anéantie.

Jen pressa l'épaule de son amie.

— Je ne savais pas que ça te faisait encore aussi souffrir.

— J'avais douze ans. Ça m'a totalement traumatisée. Et crois-moi, j'ai dépassé ce stade maintenant. Mais cela n'a été que le début de mes histoires désastreuses avec les garçons. Elles ne valent même pas la peine d'être racontées. Je suis vraiment ravie à l'idée de bannir tous ces idiots de ma mémoire.

Jen observa Amy d'un air consterné.

— Mais...

L'intéressée leva la main pour lui intimer le silence.

— S'il te plaît, regarde-toi ! Tu es encore plus à plaindre que moi.

— Non, je...

— Josh Fuller.

Au nom de Josh, Jen se laissa tomber sur la pelouse.

— Qui est Josh Fuller ? demanda Diane en pressant le bras de Jen.

Jen fit courir ses mains dans ses cheveux blonds coupés court.

— C'est le mec qui m'a brisé le cœur. Nous coachions ensemble l'équipe de basket au parc cet été et il...

— Il l'a fait tourner en bourrique, termina Amy. Il flirtait avec elle continuellement, la faisait marcher, lui a même donné un rendez-vous... Et puis un jour, plus rien ! En fait, il paradait au parc avec une bimbo différente tous les week-ends, puis il a dit à Jen qu'elle était canon, et après...

— Ça suffit ! coupa Jen. Elles ont compris. C'est vraiment trop bête, mais je n'avais pas rencontré un mec qui me plaisait autant depuis longtemps et tout avait l'air si facile avec lui. C'était trop beau pour être vrai.

Je hochai la tête, sachant parfaitement ce que Jen ressentait. Puis une idée me vint brusquement à l'esprit.

— Pourquoi tu ne te joindrais pas à nous, Jen ? Nous n'avons pas besoin d'eux, n'est-ce pas ?

Elle sourit.

— Qu'ils aillent au diable !

— Super ! lança Diane. Nous comptons donc maintenant cinq membres. Kara ? Morgan ?

Toutes deux gardaient le silence depuis un moment.

— Euh, j'ai un cavalier pour le bal..., bredouilla Kara en baissant les yeux. Je...

— Pas de problème, intervint Diane.

— Et, eh bien..., commença Morgan, mal à l'aise. Je suis désolée, les filles, j'ai besoin de...

— Ne vous inquiétez pas, les rassurai-je. Je comprends que c'est une décision grave. Quand vous serez prêtes, sachez que nous sommes là.

Connaissant les types de notre lycée, j'étais persuadée qu'elles ne tarderaient pas à rejoindre nos rangs.

14

Par chance, Todd Chesney était nul en espagnol.

Il avait essayé toute la semaine de me coincer pour me demander de l'accompagner au bal, mais son espagnol était si mauvais que je me contentais de le regarder d'un air confus et de faire semblant de ne rien comprendre. Et comme Todd était mauvais élève, il me croyait.

Jeudi matin, juste avant la sonnerie, je me dépêchai de prendre mes livres et me mis à courir vers ma salle de classe, comme à l'accoutumée.

— Hé ! attends, Margarita !

Todd agrippa mon bras avant que j'aie une chance de m'enfuir.

— Hmm ?

Je fis mine de paraître surprise.

— J'ai un truc à te dire, dit-il en me suivant dans le couloir. Alors, voilà... Je me disais...

Oh ! oh ! Ça sentait le roussi.

— ... que toi et moi on pourrait, tu sais, aller au bal ensemble.

Il s'arrêta au beau milieu du couloir et me dévisagea.

Bien qu'il comptât quelques centimètres de plus

que moi et Dieu sait combien de kilos, il avait l'air un peu timide. Il me fit presque assez pitié pour que je lui dise oui. *Presque.*

— Oh ! waouh ! Todd, waouh !

Je m'efforçai de paraître surprise.

— En fait, j'ai déjà des projets pour le bal.

— Avec qui tu y vas ? demanda-t-il d'un ton cassant. Bauer ?

— Ryan ? Non, pourquoi ? Laisse tomber.

Sa remarque m'avait prise de court.

— Toutes les nanas de l'école espèrent que Bauer va les inviter au bal. Il a intérêt à faire sa demande au plus tôt.

L'air impatienté, il croisa les bras.

— Euh, en fait, eh bien, je n'y vais pas avec un garçon. Mais avec des amies, c'est tout.

— Pourquoi tu fais ça ? demanda-t-il, visiblement confus. Tu sais quoi, Penny ? Si tu ne veux pas y aller avec moi, tu n'as qu'à me le dire.

— Non, ce n'est pas ça, vraiment pas...

— Laisse tomber.

Sur ces mots, il s'éloigna.

Eh bien, finalement, cela s'est plutôt bien passé.

En dépit de la réaction de Todd, pour la première fois depuis que j'étais au lycée, j'attendais le bal avec impatience. Chaque fois qu'on me demandait avec qui je m'y rendais, je répondais la vérité, me moquant du jugement des gens qui devaient sans doute trouver bizarre mon idée d'y aller avec une bande de filles.

— Hé ! Par ici, jeune fille ! Tu as oublié où était ton casier ?

— Non, en fait, c'est juste que...

— Pas de problème, je comprends.

Que comprenait-il au juste ? J'avais évité mon casier de façon à ne pas me retrouver face à Todd. Je continuai à pêcher mes livres dans mon casier, mais Ryan n'avait pas l'intention de s'en aller.

— Alors ? Todd m'a dit ce qui s'était passé.

Je me retournai et m'adossai à mon casier.

— A quel point il me déteste ?

Ryan s'adossa à son tour, plaçant sa tête tout près de la mienne.

— Ce n'est pas si grave. Je lui ai dit que tu y allais vraiment avec une bande de copines. Désolé.

— Pourquoi serais-tu désolé ?

Un sourire éclaira son visage.

— Eh bien, je pense qu'il va revenir à la charge dès que le bal sera fini.

— Oh !

— Peu importe, c'est toi qui me dois des excuses.

— Moi ? Pourquoi ?

Ryan ouvrit son sac à dos et commença à ranger ses affaires dans son casier. Il fit semblant de n'avoir rien entendu.

— Hé ! lui dis-je en lui donnant un petit coup de pied. Qu'est-ce que j'ai fait ? Je veux dire, je n'ai aucune idée de ce que c'est, moi qui suis une parfaite oie blanche...

— Ça aurait été sympa de prévenir Chesney que tu n'étais plus sur le marché.

— Oh ! charmant. Plus sur le marché ? Je savais que Todd me voyait comme un morceau de viande, mais je m'attendais à mieux de ta part.

— C'est juste que je n'arrive pas à croire que je l'aie appris par Diane.

— Que t'a dit Diane exactement ?

Il se troubla.

— Que vous y alliez entre filles. Il y a autre chose ?

Je secouai la tête.

Vendredi soir, je me rendis au concert de Tyson avec Morgan. Je ne m'étais jamais sentie aussi mal à l'aise. Le garage était rempli de piercings, d'eye-liner noir et de cheveux sombres. Tous affichaient un visage de marbre, comme s'ils avaient préféré être ailleurs.

Enfin, j'avais peut-être un point commun avec eux.

Morgan agrippa mon bras.

— Je pensais qu'on se mettrait devant. Pas complètement devant, mais plus près.

Nous nous frayâmes un chemin vers la sono, qui avait doublé de volume en vue du concert. Tyson n'aurait aucun mal à repérer Morgan : il n'y avait guère plus de trente personnes. Morgan fouilla son sac à main et repassa une couche de rouge sur ses lèvres.

Le devant de la scène s'agita quand les musiciens firent leur apparition : Pete Vaughn prit place derrière la batterie et fit tournoyer ses baguettes. Brian Silverman et Trent Riley montèrent sur scène avec leurs instruments respectifs : guitare et basse. Enfin, Tyson débola à son tour avec sa guitare. Aussitôt, le groupe se lança dans une reprise des Clash intitulée *London Calling*. J'étais surprise de voir Tyson, si timide en classe, dominer aussi facilement la scène. Il bougeait en rythme, jouait avec la foule, se conduisait en vrai pro. Et la musique n'était pas mal.

La chanson se termina et la foule l'ovationna.

— Très bien ! cria-t-il en attrapant le microphone. Les reprises, ça suffit. Nous avons une nouvelle chanson à vous présenter ce soir. C'est parti !

Jamais je ne l'avais entendu prononcer autant de mots en une seule fois.

— Oh ! je suis impatiente d'entendre sa nouvelle chanson ! Tyson les écrit toutes.

Morgan avait l'air d'une groupie sans cervelle.

Tyson gratta les premières cordes. Ses longs cheveux masquaient ses yeux tandis qu'il se mouvait d'avant en arrière. Le reste du groupe le suivit et je me retrouvai bientôt en train de me balancer au rythme de la musique. Le mouvement recelait une forme d'intensité. Tout autour de moi, les gens bougeaient la tête au son de la basse. Quand Tyson entonna les paroles avec son micro, je fus surprise par sa voix – si claire, si puissante et, en un sens, si belle. Les paroles étaient bien plus profondes que je ne l'aurais imaginé.

Tyson ferma les yeux et tendit la main vers la foule.

— *Tu es l'ombre qui me hante, la vision de celui que je voudrais être...*

En dépit du fait que Tyson était un mec, je commençais à me demander si je ne m'étais pas trompée sur lui. Non qu'il ne soit pas un suppôt de Satan, en tant que mâle. Mais en dehors de cet attribut, j'avais ignoré Tyson toutes ces années. Etaient-ce son apparence et son comportement timide qui m'avaient aveuglée ?

Tyson Bellamy n'était pas un punk du dimanche, c'était un prodige musical.

Après la dernière chanson, Morgan se tourna vers moi et me dit :

— Une promesse est une promesse... On peut partir.

Nous prîmes la direction de la sortie, mais un attroupement nous barrait le chemin. Je décidai de manœuvrer vers le côté de la scène pour atteindre la sortie, quand je trébuchai sur un câble.

— Ça va ?

Une main m'avait agrippée pour rétablir mon équilibre.

Je levai les yeux.

— Ouais, merci, Tyson. Super concert.

— Merci, Penny, dit-il avec un semblant de sourire. J'étais un peu nerveux quand je t'ai vue dans la salle.

Vraiment ?

— Vraiment ?

— Ouais.

Je le vis rougir sous ses cheveux.

— Je veux dire, tu portes quand même le nom d'une chanson du plus grand groupe de rock de tous les temps.

— Oh ! dis-je en riant. Euh, tu connais Morgan, n'est-ce pas ?

Je tirai Morgan, qui essayait de se cacher derrière moi. Dire que je ne voulais pas jouer les entremetteuses !

— Ouais, salut, dit Tyson avant de baisser les yeux.

— Salut, répondit Morgan en fixant le sol à son tour.

— Euh, vous répétez ici ? demandai-je, m'efforçant de rendre la situation moins gênante.

Tyson hocha la tête.

— Ouais, le soir.

Il ne releva pas les yeux.

— Ah ! c'est... intéressant.

Morgan me donna un coup de coude.

— Euh, bon, sympa de t'avoir vu...

Tyson hocha la tête et esquissa un sourire.

— Je vais mourir ! hurla Morgan une fois hors du garage. C'était tellement embarrassant. Est-ce qu'il aurait pu avoir l'air moins intéressé par moi, hein ?

— Il est seulement timide, dis-je pour la rassurer, à moitié convaincue.

Morgan ouvrit la portière de sa voiture et nous nous coulâmes à l'intérieur.

— Penny, tu sais depuis combien de temps j'en pince pour Tyson ?

Je secouai la tête.

— Depuis *Freshman year*[1]. Deux ans. Et cette année, j'ai enfin décidé de faire quelque chose. Il est en terminale ; alors, le temps me manque. Mais il est évident qu'il se fiche de moi.

Morgan appuya sa tête contre le volant.

— Je me sens tellement mal.

— Tu n'as aucune raison de l'être. Tu n'as pas besoin de Tyson pour...

Je m'interrompis. Je n'avais aucune envie de rejouer la petite scène de notre déjeuner plus tôt dans la semaine.

— Je n'ai pas besoin de quoi ? demanda Morgan avec espoir.

— Tu n'as pas besoin de lui.

Elle hocha lentement la tête.

— Tu as raison. J'ai déjà perdu tellement de temps avec lui.

Elle soupira.

— Hé ! Vous avez de la place pour un membre supplémentaire dans votre club ?

Je souris.

— Bien sûr. Tu es libre demain soir ?

---

1. Aux Etats-Unis, *Freshman year* est le nom donné à la première année du lycée. (NDT)

15

— L es filles, tâchez de bien vous tenir ce soir, déclara mon père en enfilant son manteau. Penny Lane, nous ne nous absentons que quelques heures. Pas de garçons. Je réprimai un rire. Si seulement il savait.

Mes parents allaient dîner au restaurant, pendant que Tracy et moi allions préparer toutes les provisions nécessaires à notre première réunion officielle du Club des cœurs solitaires – chips, sodas, glaces, et une sélection de films sentimentaux.

— Ne vous inquiétez pas, docteur Bloom : si Paul ou Ringo passent nous voir, nous jouerons les parfaites hôtesses.

Tracy adorait le côté... bizarre de mes parents.

— Merci, Tracy, répondit ma mère. Nous n'en doutons pas.

Elle m'embrassa sur la joue avant de sortir.

— Pourquoi tu les encourages ? lui demandai-je avec agacement.

— Parce que ça te rend dingue.

La sonnette de l'entrée retentit – l'air de *Love Me Do*, bien sûr.

— Que les festivités commencent ! déclara Tracy.

J'avais attendu cette réunion toute la semaine. Une soirée entre filles, voilà tout. Mais une partie de moi espérait bien plus que cela.

Une fois Tracy, Diane, Jen, Amy, Morgan et moi installées dans le sous-sol, avachies sur les canapés, en train de grignoter des chips, Tracy se leva et distribua une feuille à chacune d'entre nous.

Je lus : *Charte du Club des cœurs solitaires de Penny Lane.*

— Hé ! protestai-je, ce n'est pas seulement *mon* club...

Tracy me jeta une chip.

— Lis-le, c'est tout !

Charte du Club des cœurs solitaires de Penny Lane

Voici les règles officielles du Club des cœurs solitaires de Penny Lane. Tous les membres doivent en accepter les termes, sans quoi leur candidature ne sera pas retenue.

Tous les membres acceptent de cesser de sortir avec des garçons (ou plutôt, si l'on se réfère à la population de McKinley, des « petits garçons ») pour toute la période du lycée. Si les membres décident de fréquenter de nouveau la gent masculine après ce laps de temps, ce sera à leurs risques et périls. Toute violation de cette règle fondamentale sera sanctionnée par la peine la plus sévère : être condamnée à errer dans les couloirs de McKinley après le déjeuner. Les membres assisteront à plusieurs événements de groupe, à savoir le bal de fin d'année, les soirées diverses, etc., même s'ils sont considérés comme marginaux et écopent de regards jaloux de la part des malheureux qui rêveraient de les avoir à leur bras, au lieu de tourner autour comme des âmes en peine.

Le samedi soir est le soir des réunions officielles du Club. La présence de tous les membres est obligatoire. Sauf pour motif exceptionnel, comme crise familiale ou très, très mauvaise journée.

Les membres doivent apporter leur soutien à leurs amies, même si les choix de vêtements, coupe de cheveux et goûts musicaux de ces dernières sont discutables.

Le non-respect de ces règles peut être sanctionné par la disqualification, l'humiliation publique et autres rumeurs sournoises.

C'était fantastique ! Certes, le ton était par moments légèrement mélodramatique (du pur Tracy), mais dans l'ensemble, cela fonctionnait.

Jen parcourut la liste et poussa un soupir.

— Chaque fois qu'on parle du Club, je repense à tous les drames de ma vie qui sont dus aux garçons. Je veux dire : j'ai récemment découvert que, l'année dernière, trois mecs de l'équipe de basket avaient parié sur celui qui me déflorerait le premier. Ce n'est pas puéril ?

Jen roula les yeux.

— Ouais, malheureusement, Jon Cart m'a arraché ce privilège l'année dernière, dit Amy en secouant la tête. Si seulement je pouvais récupérer ces quarante-cinq secondes de ma vie.

— *QUOI ?* hurla pratiquement Tracy.

Amy plaqua la main sur sa bouche.

— Oh ! désolée de vous l'apprendre, mais ce n'était pas vraiment l'extase.

Tracy avait l'air déçue.

— Comme si j'allais le savoir bientôt ! maugréa-t-elle en serrant ses genoux contre sa poitrine et en feignant de bouder. Stupide club.

— Oui, et pour perpétuer la tradition des mecs salauds sans raison, à la seconde où ce fut terminé, il s'est totalement désintéressé de moi.

— Typique, commenta Jen.

— Ce qu'on voit dans les films ou la télévision, c'est n'importe quoi. Je n'ai pas vu de feu d'artifice ni n'ai entendu de symphonie grandiose dans ma tête.

Amy jeta un regard de biais à Diane.

— Pourtant, je suis sûre qu'avec Ryan, tu avais droit aux bougies et aux pétales de rose...

Diane rougit.

— Euh, pas exactement.

Je n'étais pas certaine d'avoir envie d'entendre cela.

— Allez, dis-nous au moins que c'était des draps de soie ! renchérit Amy.

Diane murmura quelque chose, mais sa voix était si ténue que personne ne comprit ses paroles.

— Hum, peut-être que nous devrions changer de sujet ? suggérai-je.

Diane regarda autour d'elle et sourit.

— Ça va. C'est juste que... je suis vierge.

— *TU ES QUOI ?*

Cette fois, Tracy avait crié en bondissant du canapé. Diane se contenta de hausser les épaules.

Impossible.

Ryan et elle étaient ensemble depuis si longtemps... Ils étaient pratiquement mariés. Ces blagues à propos des gens mariés qui n'ont plus de relations sexuelles sont peut-être vraies au final.

— Sérieusement ! cria de nouveau Tracy.

Diane confirma.

— Sérieusement.

— Waouh !

Après une pause gênante, Diane se leva et s'approcha de Tracy.

— Merci, Tracy, dit-elle avec une étincelle espiègle dans le regard. Merci d'avoir cru durant tout ce temps que j'étais une traînée.

Tracy haussa les épaules.

— Hé ! Juger mes amies est mon point fort.

— Penny, est-ce qu'on peut mettre de la musique pour la faire taire ? Ou qu'on ne l'entende plus ? me demanda Diane avec un sourire.

— Ouais, comme si n'importe quel chanteur pouvait faire ça.

J'étais totalement d'accord avec Diane, et j'avais trouvé la chanson idéale pour parvenir à nos fins.

Come Together.

— Ne t'inquiète pas pour le ménage, dis-je à Diane après le départ des filles.

Je rinçai quelques bouteilles de soda en vue du recyclage.

— En fait, je voulais te demander quelque chose.

Je pris place à la table de la cuisine à côté d'elle. Nerveuse, elle se tortillait sur sa chaise.

— Tu trouves ça bizarre ?

— Le Club ?

— Non, non, que Ryan et moi...

— Euh, eh bien, je suppose que...

Elle baissa les yeux vers le sol.

— Ouais, je sais, c'est juste que... Je peux te dire quelque chose ?

Je hochai la tête.

— Je ne l'ai jamais dit à personne, mais nous avons essayé une fois. Pendant le réveillon de la Saint-Sylvestre, l'année dernière, nous allions le faire... Nous avions tout prévu. Comme mes parents passaient la nuit en ville, nous sommes retournés dans ma chambre après la soirée de Todd... Nous avions des bougies et il m'avait bien acheté des roses...

Diane se mit à rire.

— Nous étions tellement prévisibles !

Son sourire s'évanouit brusquement et elle se tut un moment.

Je hochai la tête en signe de sympathie. Des flashes de ma soirée embarrassante et désastreuse avec Nate traversèrent mon esprit.

— Je me rappelle que j'étais tellement sûre que Ryan m'était destiné que je pensais que nous passerions notre vie ensemble. Tout était si romantique, si parfait, et puis... j'ai paniqué. J'ai complètement perdu les pédales ! Nous n'étions pas allés très loin – nos vêtements étaient pratiquement tous encore en place –, mais je me suis mise à pleurer. Ryan s'est aussitôt rassis et a allumé. Il avait l'air tellement inquiet que je me suis sentie encore plus mal. Je ne comprends toujours pas ce qui s'est passé. J'imagine que j'ai eu la frousse. Nous avons passé la nuit allongés l'un contre l'autre. Il me serrait dans ses bras pendant que je pleurais. Après cette nuit-là, les choses n'ont plus jamais été pareilles entre nous. Je crois que Ryan s'est dit qu'il avait fait quelque chose de mal, et il n'a plus jamais rien tenté. Nous étions si mal à l'aise qu'aucun de nous deux n'a osé aborder le sujet. Les derniers mois de notre relation, nous n'avons presque rien fait. Voilà pourquoi il a été si facile de rester amis..., parce que c'est ce que nous étions devenus : des amis.

Son visage reflétait une profonde tristesse. Puis Diane leva les yeux et m'adressa un faible sourire.

— Tout le monde veut savoir ce qui s'est passé, pourquoi le *couple parfait* a rompu ? Je crois que cette soirée a marqué pour nous le début de la fin. Pas parce que nous allions avoir des relations sexuelles, mais parce qu'à mon avis, nous avons compris tous les deux que nous nous forcions à faire quelque chose qu'aucun de nous deux ne désirait.

Diane me regarda et haussa les épaules.

— Je suis fatiguée de faire ce que les gens attendent de moi. C'est terminé désormais.

— Tant mieux !

— Il y a autre chose que je voulais te dire, ajouta-t-elle en souriant.

Je me penchai en me demandant ce qu'il pouvait bien y avoir d'autre.

— Après la saison de football, je quitte l'équipe des pom-pom girls.

Cette nouvelle était presque plus incroyable que ce qu'elle m'avait confié sur Ryan.

— Vraiment ?

— Yep ! Je vais tenter ma chance dans l'équipe de basket. Et je le fais *pour moi*.

Son visage s'éclaira et je compris qu'elle était sincère.

— Oh ! Diane.

J'étais pratiquement sans voix.

Dans ma tête bourdonnaient toutes les informations récoltées dans la soirée.

C'était notre première réunion officielle et déjà plusieurs d'entre nous évoluaient, tandis que maints secrets avaient été révélés.

A n'en pas douter, d'autres révélations nous attendaient.

Et peut-être même quelques secrets venant de moi.

16

Notre première sortie officielle du Club eut lieu le samedi suivant, lors d'une séance de shopping pour dénicher la robe de bal parfaite. J'étais particulièrement excitée parce que Rita, revenue de Northwestern[1] pour quelques jours, serait membre honoraire de notre petite expédition.

Mais d'abord, nous devions survivre au dîner du vendredi soir avec mes parents.

— Oh ! c'est tellement merveilleux d'avoir ses enfants à la maison, répétait ma mère en boucle.

Je m'efforçai de l'ignorer tout en examinant le menu de notre restaurant familial préféré, Le Sauvage. (Je ne comprenais pas quelle sauvagerie pouvait caractériser un restaurant familial contigu à un centre commercial.)

Le serveur vint prendre nos commandes. Je jetai un regard de biais à Rita pour qu'elle annonce son choix la première. Elle avait toujours été plus brave que moi face à nos parents.

— Oui, je prendrai le filet mignon avec la purée de pommes de terre à l'ail, dit-elle en regardant notre mère d'un air de défi.

---

1. Université en banlieue de Chicago. (NDT)

— Rita..., dit ma mère d'un ton de reproche.

Ma sœur retira sa serviette de son assiette et la déplia sur ses genoux.

— Maman, les jeunes filles ont besoin de protéines. Penny, qu'est-ce que tu prends ?

Le serveur se tourna vers moi, visiblement confus. Je lui souris et demandai un cheeseburger, saignant.

Ma mère ouvrit ses grands yeux bruns, exactement comme les miens, et riva son regard sur Rita.

— Rita... Penny Lane...

Oh ! formidable. Moi aussi j'allais avoir des problèmes.

— Vous savez que nous respectons votre décision de manger ce que vous voulez, mais j'aimerais que vous essayiez de comprendre ce que votre père et moi tentons de vous expliquer depuis si longtemps.

— Tu sais, maman, je sais où tu veux en venir, dit Rita en levant les mains. Je sais ce que Paul aurait fait dans une situation comme celle-ci, mais je ne suis pas Paul McCartney. Je suis Rita Bloom, et j'ai choisi de la viande. Beaucoup de viande.

Bien des gens choisissaient d'être végétariens pour des raisons de santé ou éthiques, alors que papa et maman le faisaient uniquement parce que Paul McCartney les avait inspirés.

Sentant la tension qui s'installait à notre table, mon père se tourna vers moi.

— Alors, Penny Lane, quels sont tes plans pour toi et ta sœur ce week-end ?

J'allais lui parler de notre opération shopping quand Rita m'interrompit :

— Je suis si contente de rencontrer les membres du club de Penny !

Oh ! oh !

— Tu as rejoint un club, ma chérie ? C'est formidable ! s'exclama maman en buvant une gorgée d'eau.

— Oui, de quel genre de club s'agit-il ? demanda papa avec un intérêt évident.

— Euh, en fait, ce n'est pas un club officiel.

Je fusillai Rita du regard. C'était tellement humiliant. Qu'étais-je censée dire ? Vous voyez, papa, maman, les garçons me rendent malade parce que le fils de vos meilleurs amis est un con ; donc, j'ai décidé qu'avec mes amies, nous *allions totalement y renoncer.*

— C'est Penny qui l'a fondé. Il s'appelle le Club des cœurs solitaires, intervint Rita.

— Oh ! Penny Lane, c'est merveilleux, déclara maman en plaquant sa main sur sa poitrine, enchantée que j'aie baptisée mon club du nom d'une chanson des Beatles, même si elle ne savait pas à quoi ce club se rapportait.

Si j'avais créé une association appelée le Yellow Submarine, elle aurait été tout aussi fière.

— Oui, c'est fantastique que tu t'intéresses à ton héritage. Bravo ! lança papa d'un air radieux.

Mon héritage ? Mon grand-père du côté de mon père était britannique, certes, mais pas dans les environs de Liverpool. Et la famille de maman est originaire d'Allemagne.

— Est-ce que tu sais quel est le principe du Club ? dis-je. Avec plusieurs copines, j'ai décidé d'arrêter de sortir avec des garçons... Du moins jusqu'à la fin du lycée.

Le regard de mon père étincelait.

— Penny Lane, c'est une idée formidable pour un club !

Ma mère resta pensive un moment avant de s'exprimer.

— Penny Lane, il y a une raison particulière qui t'a poussée à créer ce club ?

Mon cœur se mit à battre la chamade. Elle était au courant. Je secouai la tête.

— Pas vraiment. Il y a une foule de facteurs, j'imagine. Mais je suis juste écœurée de voir mes amies souffrir…

— Eh bien, vraiment, Penny Lane, c'est formidable, répéta papa en me prenant la main sur la table. Je veux que tu saches que je vais installer d'autres tables dans le sous-sol quand ton club sera bien installé. Quand je pense que mon bébé a fondé un club de fans des Beatles !

— Ce n'est pas un club de fans des Beatles !

Il me fit un clin d'œil.

— Bon, enfin, un père a le droit de rêver, non ?

Ma mère demeura silencieuse un moment. Que pensait-elle réellement de tout cela ? Nos plats arrivèrent à ce moment et Rita et moi entamâmes nos viandes rouges de bon cœur.

Quelle étrange atmosphère. J'avais assisté à d'innombrables événements dansants depuis le collège. Mais c'était la première fois que j'allais faire une séance shopping avec un groupe d'amies.

Cette virée cimentait l'importance du Club et prouvait combien nous pouvions nous amuser entre filles. Les vendeuses ne paraissaient pas enchantées de voir six adolescentes virevolter dans la section des robes en poussant des cris de joie, mais il ne fallut pas longtemps à Rita pour prendre la direction des opérations.

— Sur l'échelle sexy, tu frises l'explosion, *baby* ! dit-elle à Amy qui venait de sortir de la cabine d'essayage vêtue d'une robe noire.

Pendant que je contemplais mon amie, ma sœur s'empara de son téléphone portable et, imitant une présentatrice de show télévisé ringarde, s'en servit comme d'un micro.

— Ensuite, nous avons Amy Miller, dans une robe de satin noire. Notez les perles brodées sur les manches et la taille Empire, qui accentue son magnifique décolleté...

Amy rougit, fit une pirouette, puis une petite révérence.

La porte de la cabine adjacente s'ouvrit à son tour.

— Vous êtes prêtes pour moi ? demanda Tracy en s'avançant pour que nous puissions toutes admirer sa... robe.

Nous étions sans voix. Tracy portait ce qu'on ne peut décrire que comme une tunique – une hideuse tunique aux motifs floraux que même ma grand-mère aurait refusé d'enfiler. Tracy se pavana devant le triple miroir.

— Hé ! Pen ! Je prépare ma garde-robe pour nos vieux jours.

Elle me sourit en ôtant la tunique pour révéler une robe de soie rouge ajustée, agrémentée d'une ceinture à sequins. Absolument magnifique !

— Alors, Rita ? A quel point suis-je sexy ?

— Totalement envoûtante !

Tracy battit des mains comme une collégienne tout en faisant de petits bonds sur place.

Je trouvais qu'elle adoptait de plus en plus le comportement de Diane.

Elle me tuerait si je lui avouais un truc pareil.

— On dirait que vous avez toutes trouvé la robe parfaite, dit Rita en nous inspectant une par une. Diane avait choisi une robe fendue rose, Jen, une robe à bretelles noire classique, tandis que j'avais jeté mon dévolu sur un haut décolleté avec la jupe de dentelle assortie.

Nous nous alignâmes devant les miroirs pour avoir une vue d'ensemble.

— Tu sais, dit Jen, je suis heureuse d'avoir trouvé une jupe pour moi. Avant, c'était toujours pour plaire à un garçon...

— Ouais, dit Amy. Il l'aimait assez pour l'enlever.

Jen sourit.

— J'ai vraiment l'impression d'avoir un poids en moins sur les épaules.

Diane se mordilla nerveusement la lèvre.

— Je sais, surtout depuis que j'arrive à me concentrer sur d'autres choses. Au fait, je voulais te demander quelque chose, Jen. J'ai décidé de quitter les pom-pom girls après le bal... et de me lancer dans le basket.

Cette annonce fut accueillie par quelques hoquets étranglés. Rita applaudit.

— Pas possible ! s'exclama Tracy. Diane, tu...

Diane rougit et baissa les yeux.

— ... tu vas faire un vrai malheur !

Le visage de Diane s'éclaira.

— Tu crois ?

— Hé ! c'est certain ! J'ai hâte de voir la tête du principal Braddock quand il apprendra la nouvelle. Il fera une jaunisse quand il comprendra que sa très chère pom-pom girl..., euh..., vire de bord en quelque sorte.

Diane éclata de rire.

— J'imagine les rumeurs qui vont circuler quand je l'aurai annoncé aux filles.

— Est-ce que je peux te demander ce qui t'a poussée à prendre cette décision ? Ce n'est pas aussi simple qu'il n'y paraît.

— Non, j'en suis bien consciente. En réalité, j'ai toujours adoré le basket. J'y jouais de temps à autre avec mon père, sans doute parce qu'il n'a pas eu de fils. Mais aujourd'hui, j'ai envie de faire partie d'une équipe. D'essayer quelque chose de différent. C'est peut-être égoïste, mais je suis fatiguée d'encourager les autres. Je voudrais qu'on me félicite, moi !

— Tu veux venir cette semaine et faire quelques balles avec moi ? proposa Jen.

— Ce serait formidable, répondit Diane en souriant. Ryan joue déjà avec moi le week-end.

— Vraiment ? dit Tracy.

— Oui !

L'expression de Tracy changea rapidement.

— Attendez, il n'y a rien entre nous, protesta Diane. Ce n'est pas ce que vous croyez.

Tracy haussa les épaules.

— Il m'encourage à le faire depuis un moment et j'avais besoin de pratique pour savoir si ça n'était pas absurde. Mais il a l'air de penser que je me débrouille bien. Je serai sûrement débutante, mais je veux faire partie de l'équipe.

Jen hocha la tête.

— Voilà le bon esprit ! Et je suis sûre que tu t'en sortiras très bien.

— Je ne sais pas...

Nous la gratifiâmes aussitôt d'une salve

d'encouragements. Je voyais la confiance de Diane grandir à mesure qu'elle recevait le soutien de la bande.

Tracy leva la main et nous la fixâmes toutes un instant.

— Allez…, dit-elle.

Je joignis ma main à la sienne et, bientôt, toutes les filles nous imitèrent. Là, dans nos nouvelles robes, face à nos multiples reflets.

Tracy me regarda pour dire quelque chose.

— A nos nouveaux membres, nos robes de bal éblouissantes et à Diane Monroe, la déesse du basket-ball !

Nos clameurs et nos cris étourdirent les pauvres vendeuses, qui manquèrent s'évanouir derrière leur comptoir.

Une fois nos robes achetées, Tracy suggéra de « nous empiffrer jusqu'à ne plus pouvoir rentrer dedans ». Nous fîmes de notre mieux.

Après des au revoir chaleureux, Tracy nous raccompagna, Rita et moi, à la maison en voiture. Elle inséra un disque dans son lecteur de CD.

— J'ai une surprise pour toi, Miss Penny Lane.

Les Beatles envahirent l'habitacle.

— Waouh ! Tracy, je n'arrive pas à croire…

— Ouais, eh bien, j'aime me dire que je suis pleine de surprises, moi aussi !

Elle m'adressa un clin d'œil.

Rita se pencha entre les sièges conducteur et passager.

— Tu sais, Pen, votre club va devenir de plus en plus populaire. Papa va devoir construire une nouvelle dépendance à la maison pour vous accueillir toutes.

Je souris. Rita avait peut-être raison. Ce n'était sans doute que le début.

Tracy monta le volume et nous nous mîmes à chanter en chœur.

— « Je dois reconnaître que ça va beaucoup mieux[1]... »

---

1. *I have to admit it's getting better, better.* Extrait de *Getting Better*, l'une des treize chansons de l'album *Sgt. Pepper's Lonely Hearts Club Band.* (NDT)

17

Une semaine plus tard, c'était le grand soir du bal... et un désastre complet annoncé.

Qu'est-ce qui avait bien pu me passer par la tête ? Mon cerveau fonctionnait à toute allure. Me rendre au bal avec les filles du Club était crucial à mes yeux..., mais je ne pouvais pas me montrer en public habillée *comme ça* !

On frappa un coup à ma porte. Diane.

— Allez, Penny, qu'est-ce que tu fabriques là-dedans ?

L'attaque de panique me guettait, aucun doute là-dessus.

— Euh, juste une minute..., dis-je en tentant d'ajuster ma robe pour la millionième fois.

En vain. Non, impossible qu'on me voie dans cette tenue. Je voulais arriver au bal la tête haute. Je jure que cette robe ne donnait pas du tout la même impression dans le magasin ! De la sueur perlait au coin de mes yeux. Super ! Non seulement j'avais l'air ridicule, mais je risquais de ruiner le maquillage que Diane avait mis tant de temps à appliquer sur mon visage.

— Penny Lane, sors tes fesses de là ! hulula Diane en tambourinant à la porte.

Très bien, c'étaient mes amies et elles savaient se montrer sincères. J'allais simplement sortir et écouter ce qu'elles avaient à dire. Peut-être en faisais-je un peu trop.

Ou bien j'allais vraiment être malade.

J'ouvris la porte.

— Ta-da ! lançai-je, tâchant de faire une entrée théâtrale sans cependant oser croiser le regard de mes comparses.

— Penny, tu es magnifique ! déclara Diane d'un air radieux. J'ai tellement l'habitude de te voir en jean et tee-shirt, mais regarde-toi !

Elle sautillait sur place. Je n'avais jamais vu personne être aussi excité à l'idée d'aller danser... avec une bande de filles.

Bien sûr, Tracy ajouta son grain de sel.

— Et tu as vu ces seins ! Qui aurait pu deviner que la nature t'avait gâtée à ce point ?

Diane lui donna un coup de coude.

— Je sais, dis-je. Je me sens tellement mortifiée. Dans le magasin, je n'avais pas du tout cette impression. Peut-être que c'est à cause du soutien-gorge.

Je baissai les yeux et tombai sur mon décolleté.

— Je t'en prie, reprit Diane, tu as un corps de rêve et il est grand temps de le montrer !

— C'est dingue, dit Morgan. Tu as la moindre idée de la chance que tu as de pouvoir manger ce que tu veux ? Ça me rend malade.

Diane s'approcha et se mit à arranger ma coiffure.

— Ne t'inquiète pas, tu es superbe. Je t'assure que ce n'est pas aussi terrible que tu le crois. Regardez-vous toutes – pas seulement vos décolletés – dans le miroir. Vous êtes fantastiques !

En arrivant au lycée, nous vérifiâmes toutes notre coiffure et notre maquillage. Je commençais à prendre de l'assurance dans cette tenue et – même si je m'en voulais de le penser – une partie de moi était impatiente voir quel effet elle produirait sur la gent masculine.

Les vibrations de la musique nous parvinrent avant même l'ouverture des portes.

J'accélérai le rythme, soudain pressée de me retrouver à l'intérieur, sans cependant savoir exactement à quoi m'attendre. Par chance, personne ne se moqua de nous.

Puis ce fut la folie. Un déluge de cris aigus et hystériques, comme ceux des ados dans leur première boom.

— AMMMYYYYYYY, tu es fantassstiiiiiique !

— Oh ! mon Dieu, Jen, quelle robe géniale !

— Regarde-TOI !

— Non, regarde-TOI !

— Pas possible ! Je n'arrive pas à croire que tu portes cette couleur !!!!

— Non, tu t'es vue, TOI ?

Kara, qui était venue avec son cavalier, nous examina toutes les six et dit :

— Alors, vous êtes vraiment sérieuses à propos de ce club, hein ?

— Bien sûr ! répondit Diane avec enthousiasme.

C'était à n'en pas douter la plus excitée de nous toutes.

— Eh bien…, super pour vous.

Kara drapa un châle autour de sa frêle silhouette.

— Je ne crois pas que je pourrais jamais faire un truc pareil, mais c'est bien pour vous, les filles.

Diane agrippa mon bras.

— Allez, en piste !

Notre groupe de six manœuvra vers la piste et commença à se mouvoir en rythme. Quelques amies nous rejoignirent. La musique était trop forte pour que nous ayons une conversation ; pourtant, je fus forcée d'expliquer l'objectif du club à chaque nouvelle venue.

Au bout d'un moment, je fus surprise de constater que notre petit cercle de six avait doublé – Kara nous avait rejointes avec deux ou trois autres élèves de deuxième et troisième année.

Après une heure de danse sans interruption, je fis une pause pour aller aux toilettes et m'assurer que mon maquillage tenait le coup. Je m'amusais tellement que j'avais presque oublié tous les couples de la soirée. Je souris à l'idée de toutes ces filles qui passaient plus de temps sur la piste de danse avec nous plutôt qu'avec leur cavalier. La reine du bal, Marisa Klein, avait délaissé son partenaire ; le roi du bal, Larry Andrews, finit par venir la chercher pour pouvoir danser avec elle.

Jessica Chambers et son petit ami se querellèrent parce qu'il avait l'impression d'être laissé pour compte. En vérité, ils se disputaient à propos de tout et de rien. Lui, je ne le connaissais pas très bien, étant donné qu'il n'allait pas au lycée de McKinley, mais elle, je savais qu'elle méritait mieux.

— J'ai l'impression qu'on est les filles les plus populaires ce soir, pérora Tracy en riant quand nous retournâmes sur la piste.

Le DJ passa de la musique pop à une ballade, et Tracy et moi nous figeâmes, incertaines de l'attitude à adopter tandis que les couples nous encerclaient, main dans la main.

— Hmm, quelqu'un veut un verre ? demanda Tracy quand le reste de la bande nous rejoignit.

Notre groupe de six trouva refuge à table, où nous n'étions pas mécontentes de nous s'asseoir et de reposer nos pieds.

— Oh ! mon Dieu, Diane, dit Tracy en se penchant sur la table. Tu as vu avec qui est Ryan ?

QUI ?!

Je parcourus rapidement la salle du regard pour repérer Ryan. J'étais tellement accaparée par le Club que je n'avais même pas remarqué qu'il était là.

— Relaxe, dit Diane.

Relaxe ? Elle était folle ou quoi ?

— Je savais qu'il venait avec Missy, les filles, ça va.

Vraiment ? Pourquoi Diane prenait-elle la chose aussi calmement ? Soudain, ce fut le choc.

— Attendez une minute ! Missy Winston ? dis-je. Cette parvenue qui a renversé son verre sur Kara ? Vous plaisantez !

— Franchement, Penny, ce n'est pas grave. Apparemment, Missy lui a demandé de l'accompagner après le match de football contre Poynette. Je crois qu'il a été surpris par son abord direct et, comme la fille qu'il voulait emmener avait déjà d'autres plans…

— Quelle fille voulait-il inviter ?

Pour une raison inconnue, mon cœur s'emballa.

— Il n'a pas voulu me le dire. Je lui ai dit que je ne sortais plus avec des garçons ; donc, je ne vois pas pourquoi il aurait peur de me blesser.

Diane était bien plus mature que je ne l'imaginais. Je me levai et décidai qu'il était temps d'aller faire un tour. Erin Fitzgerald était en train de me parler de la pièce de l'école quand quelqu'un me tapa sur l'épaule.

Je me retournai et eut le souffle coupé. Ryan était magnifique dans son costume noir, avec sa chemise et sa cravate bleu clair qui faisaient encore plus ressortir ses yeux.

— Salut, Penny, tu es super.

— Salut.

Je le vis baisser les yeux sur mon décolleté et détourner aussitôt le regard. Ses joues s'empourprèrent et il s'éclaircit la gorge.

— Ouais. Alors, on dirait que vous passez du bon temps entre filles... Vous avez décidé de vous accompagner mutuellement, mais entre nous...

Il se pencha vers moi et posa la main au creux de mes reins.

— ... mais entre nous, le fait que les plus jolies filles du lycée décident d'aller danser ensemble ne nous a pas laissé beaucoup de choix.

Je t'en prie. Encore ce petit numéro de flirt habituel sans consistance.

— Oh ! tu sais... C'est toujours sympa de faire saliver un peu les mecs.

Je lui donnai un petit coup de poing dans l'épaule en minaudant, mais j'y allais un peu trop fort.

— Ouch ! s'exclama Ryan. Hé ! Penny, qui aurait cru que tu étais si forte ?

Eh bien, tout allait pour le mieux.

Nous nous regardâmes en silence quand la musique se mua de nouveau en ballade.

Ryan passa ses doigts dans sa chevelure.

— Euh, dis-moi, Penny, tu penses que tes cavalières seraient fâchées si tu dansais avec moi ?

Avant que je puisse répondre, j'entendis une voix nasale haut perchée.

— Non, mais TA cavalière serait fâchée.

Ryan était encore plus troublé qu'auparavant.

— Oh ! salut, Missy. Je ne savais pas que tu étais revenue. Euh…, tu connais Penny, n'est-ce pas ?

Missy me scruta de la tête aux pieds d'un air réprobateur. Pourquoi avait-elle l'air si énervée ? Elle enlaça Ryan par la taille et je réprimai un sourire en le voyant grimacer légèrement.

— Ouais, j'ai entendu parler de toi. Ton père n'est pas un des Rolling Stones ou un truc de ce genre ?

Tu me fais marcher, là, hein ?

— Je porte le nom d'une chanson des Beatles – *Penny Lane*.

Missy me fixa comme si j'étais une espèce de folle.

— Peu importe, dit-elle d'un ton sans réplique. Ryan, j'adore cette chanson, allons danser.

Elle saisit sa main et le traîna sur la piste de danse. Pour une petite parvenue sans cervelle, elle avait une sacrée force.

Colère et ressentiment commencèrent à bouillir en moi. Une partie de moi voulait l'interrompre, rien que pour la contrarier.

Mais je ne jouais plus à ce petit jeu désormais. J'étais avec les filles.

Même si cela me rendait vraiment furieuse que Missy ait remporté cette manche.

Revolution

« Nous voulons tous
changer le monde[1]... »

---

1. *We all want to change the world...* (NDT)

18

Je pensais que les soirées avaient toujours lieu le samedi soir pour permettre à tout un chacun d'évacuer toute la tension le dimanche et reprendre une vie normale le lundi.

Pourtant, en ouvrant la portière de la voiture de Tracy ce lundi matin, je compris tout de suite que je n'y étais pas du tout.

— La ferme, c'est tout ! criait mon amie.

Je refermai doucement la portière, priant pour que le drame en cours cesse quand je serais à l'intérieur.

— Tu es totalement nulle ! vociféra Mike à Tracy malgré ma présence.

— Oh ! et toi tu es un détraqué !

Personne ne semblait m'avoir remarquée.

— Euh, dites…

Toute tentative d'attirer leur attention était vaine.

— Ce n'est pas MA faute si ta petite copine s'amusait plus avec nous, dit Tracy en redémarrant.

— T'approche pas de moi, c'est tout, et t'approche pas des gens que je connais. C'est la honte de t'avoir pour sœur.

Tracy enfonça la pédale de frein.

— Alors, tire-toi !

Mike ouvrit la portière et commença à descendre du véhicule au beau milieu de la rue.

— Mike, ne…, plaidai-je.

Une fois dans la rue, il courut vers le trottoir.

— Bon sang, Tracy, qu'est-ce qui se passe ? Va le chercher… Il ne peut pas y aller à pied !

Tracy serrait le volant de toutes ces forces.

— Pas question.

— Il va être en retard au lycée.

— Je m'en fiche royalement.

— Très bien, ça suffit. Qu'est-ce qui se passe ?

Tracy repartit en trombe et dépassa son frère sans lui adresser un regard.

— Il a flippé hier parce que son idiote de petite amie a passé presque tout son temps avec nous au bal.

— Vraiment ? Qui est sa copine ?

Je tentai en vain de me remémorer toutes les filles qui dansaient avec nous.

— La petite brunette avec cette minuscule jupe lavande.

— Oh ! C'est la copine de Mike ?

Tracy hocha la tête tout en se garant sur le parking.

— D'accord, mais ce n'est pas une raison pour vous écharper.

— C'est lui qui a commencé. Je savais qu'il trouverait un moyen de gâcher cette soirée géniale.

Un sourire éclaira son visage.

— Sérieusement, reprit-elle, nous avons totalement monopolisé la piste de danse ! Toutes les filles se plaignaient de leur cavalier. As-tu vu un seul mec sur la piste qui passait du bon temps ? Non, ils se sont assis en groupe et ont parlé de sport…

Elle me gratifia de sa plus belle imitation de Mike.

— M'en fiche, mec !

En arrivant au lycée, je ne cessai de me répéter que c'était une semaine comme une autre, que je n'avais aucune raison d'être nerveuse.

Pourtant, mon estomac se nouait chaque fois que je repensais à Ryan dans les griffes de cette petite peste à la soirée. J'adoptai une allure plus lente qu'à l'accoutumée. Peut-être qu'il ne serait pas là. Et que je pourrais faire semblant de ne pas être agacée. Peut-être...

Parvenue près des casiers, je le vis, en train d'ôter sa veste. J'étais très, *très* soulagée de ne voir aucun signe de celle-dont-on-ne-doit-pas-prononcer-le-nom.

Pendant que je me débattais avec la combinaison de mon cadenas, il se tourna vers moi.

Le sourire aux lèvres, il bredouilla :

— Euh, Penny ?

Troublée, je faillis laisser tomber mon sac. Je me tournai pour me rendre compte qu'Eileen Vodak et Annette Ryan, deux élèves de première année, s'étaient approchées de moi.

— Salut, euh, on voulait te dire qu'on s'est bien amusées avec vous, les filles et euh...

Eileen rougit et enroula nerveusement une longue mèche de ses cheveux auburn autour de son doigt.

— On, enfin, on t'admire beaucoup. C'est vraiment cool, ce que tu fais.

— Merci, répondis-je à voix basse en priant pour que Ryan n'ait rien entendu.

Annette donna un léger coup d'épaule à sa comparse.

— Euh, ouais, on se demandait si ton club était seulement pour les deuxièmes années ou si tu, euh, tu accepterais aussi des premières années...

Je fixai Eileen plusieurs secondes tout en essayant de comprendre ce qu'elle essayait de me dire.

— Je veux dire, je sais qu'on vient d'arriver, mais…

Mon regard s'arrondit sous l'effet de la surprise.

— Oh ! bien sûr, venez ! Plus on est de fous, plus on rit.

Les visages de mes interlocutrices s'illuminèrent aussitôt.

— Oh ! merci, Penny ! Dis-nous seulement ce qu'on doit faire.

Moi-même, je n'avais aucune idée de ce que je devais faire.

— D'accord, pas de problème.

Une fois les filles parties, je me retournai vers mon casier. Ryan ferma le sien et se pencha.

— Salut.

— Salut, répondis-je.

Je résistai à mon envie de le secouer et de lui demander ce qu'il fichait avec cette petite créature infernale.

— Salut, Penny ! lancèrent Amy et Jen derrière moi.

Je souris à Ryan d'un air d'excuse, soulagée de cette diversion. Il se contenta de hocher la tête et se dirigea vers la salle de classe.

— Deux filles de l'équipe qui ont des petits amis m'ont appelée pour me poser des questions sur le Club, dit Jen. Tu penses qu'on pourrait accepter quelques membres supplémentaires ?

Tout en me dirigeant vers la classe d'espagnol, je ne pus m'empêcher de remarquer que de nombreuses filles me souriaient.

— *Hola*, Margarita ! me lança Todd quand je m'assis à ma place.

— *Hola*.

Je sortis mon livre d'espagnol et l'ouvris au chapitre du jour.

Todd rapprocha sa chaise de la mienne.

— Dis, Penny, qu'est-ce que c'était que ce défilé de nanas samedi soir ?

— Oh ! tu sais, on s'est follement amusées. Je ne vois pas où est le problème.

Je commençais à être un peu sur la défensive.

— Et c'est quoi cette histoire de Diane qui lâche les pom-pom girls ?

Il secoua la tête.

— C'est vraiment trop bizarre, vos trucs.

— Ce n'est pas bizarre. Enfin, comment s'est passée ta soirée avec…

— Hilary, dit-il d'un ton rogue.

— Ah oui, Hilary ! Elle est vraiment cool – tu as dû t'amuser.

Je voulais faire sourire Todd, tant il était étrange de ne pas le voir flirter.

— J'en sais rien. Elle a passé toute sa soirée avec vous.

Oh ! c'est vrai.

Todd ouvrit son cahier et fit semblant de se plonger dans ses notes. Son comportement n'était pas du tout normal.

Mais j'étais certaine que cela serait bientôt terminé. Après tout, il n'y avait pas de quoi en faire toute une histoire.

— Depuis quand tu t'inquiètes de ce que pense Todd Chesney ? me demanda Tracy tandis que nous allions rejoindre Jen et Amy à notre table de déjeuner habituelle.

— Ce n'est pas seulement lui : j'ai ressenti de mauvaises vibrations de la part des garçons toute la journée.

Je laissai tomber mon sachet de déjeuner sur la table.

— Et toutes ces filles qui sont venues me dire des trucs sympas.

— Je sais... C'est génial, non ? renchérit Tracy.

— Hé ! les filles, Kara peut se joindre à nous ? demanda Morgan, Diane et Kara sur ses talons.

— Bien sûr, dit Tracy. C'est cool que tu sois revenue, Kara.

L'intéressée rougit.

— En fait, vous aviez dit que je pourrais revenir quand je serais prête...

Les yeux de Tracy s'arrondirent.

— Bien sûr ! Bienvenue du côté obscur ! dit-elle en riant. On devrait peut-être accoler une autre table à la nôtre pour faire de la place.

D'autant que Teresa Finer et Jessica Chambers demandèrent à intégrer le groupe.

Bientôt, notre table bruissait de voix féminines qui parlaient toutes du bal.

Teresa raconta que son rendez-vous avait quarante-cinq minutes de retard et que le « restaurant » où il avait promis de l'emmener s'est avéré être le fast-food du coin. Après quoi, il avait passé la soirée à flirter avec une autre fille.

— C'est vous qui avez raison, les filles, dit Kara en jouant avec la queue de sa pomme. Donc, je préfère sortir avec vous.

Pendant que Diane, Jessica et Jen discutaient des parties de basket-ball prévues pour le week-end, je ne pouvais m'empêcher d'être impressionnée par la sérénité et l'assurance de Diane quant au grand changement qu'elle avait décidé.

Il n'y avait chez elle aucune trace de regret ou d'hésitation – elle savait qu'elle prenait la bonne décision, même si elle risquait au final de ne pas intégrer l'équipe.

19

L'événement avait pris une telle ampleur que je ne savais pas combien de filles venaient chez moi ce samedi soir. Certes, la plupart avaient annoncé leur présence. D'après Tracy, Michelle, la petite amie de Mike, l'avait même laissé tomber pour être de la partie. Lui, en retour, avait dû se rendre à pied au lycée. Je me sentais déchirée – je ne voulais pas que Mike ait le cœur brisé, mais si Michelle le laissait tomber pour venir à la réunion de notre club, il y avait de fortes chances que leur relation ne dure guère.

— Tout va bien, Pen ? me demanda mon père juste avant l'arrivée des filles.

Ma mère était sortie sans lui, car il avait pris froid.

— Si tu as peur que je te dérange, ne t'inquiète pas. Je vais prendre mon thé et mon journal et rester tranquillement dans ma chambre.

— Ça va, papa. Je me demande seulement combien de personnes vont venir ce soir.

— Penny Lane, ta mère et moi sommes si fiers de toi ! Alors, ne t'inquiète pas à propos du nombre d'invitées. Marisa Klein m'a dit que ton club des Beatles faisait un malheur au lycée.

— Papa ! Ce n'est pas...

— Je sais, je sais, dit-il en levant les mains. Je suis quand même très fier de toi, Pen.

En entendant la sonnette retentir, je me dirigeai vers la porte.

— Passe une bonne soirée, dis-je à mon père en le voyant monter l'escalier.

Tracy et Diane étaient les premières arrivées.

— Cette soirée va être géniale ! lança Diane.

Dans la rue, une file de voitures ralentissait devant la maison. Jen et Amy avaient emmené Jessica Chambers et Teresa Finer. Maria Gonzales et Cyndi Alexander se garèrent derrière elles.

— Salut, les filles ! Entrez…

Nous nous dirigions vers le sous-sol quand la sonnette retentit de nouveau : Hillary Jacobs, Christine Murphy, Meg Ross et Karen Brown étaient les suivantes.

Puis Jackie Memmott et Marisa Klein, avec les dernières années Erin Fitzgerald et Laura Jaworski.

Ensuite, ce fut le tour de l'ex-petite amie de Mike, Michelle, Eileen Vodak, et Annette Ryan – le contingent des premières années.

Et enfin Morgan et Kara, suivies de Paula Goldberg.

Une fois au sous-sol, je constatai avec stupéfaction qu'une vingtaine de filles de McKinley étaient assises là – première et deuxième années, juniors et seniors.

Toutes me fixaient. Incroyable ! Elles attendaient que je prenne la parole. Moi qui pensais que nous allions seulement regarder un film et manger une pizza !

— Allez, Penny, c'est à toi ! cria Hillary en applaudissant.

Aussitôt, la salle explosa en applaudissements. Qu'avais-je lancé ? Je me retournai pour voir quelle célébrité venait d'entrer dans la pièce.

— Chuuuut ! Laissez parler Penny !

Qui avait dit cela ? Je n'avais aucune idée de ce que les gens attendaient de moi. J'ouvris la bouche et priai pour que tout se passe bien.

— Merci, merci d'être venues. Euh, je suis un peu surprise par la tournure des événements. Je ne sais pas très bien ce que vous attendez de ce club…

Je cherchai Diane et Tracy du regard pour implorer leur aide. Elles me souriaient.

Il était évident qu'elles avaient foi en moi. Si seulement j'avais eu la même certitude…

— Je ne sais pas pourquoi vous avez toutes décidé de venir ici ce soir. Je suppose que je peux vous dire pourquoi *moi* je suis là – enfin, en dehors du fait que je vis ici, bien sûr…

Quelques rires fusèrent et je pris une profonde inspiration.

— Pour être honnête, je suis simplement fatiguée de tout cela. Les jeux, les garçons…, tout. Je suis sûre que toutes les filles ici présentes ont été obsédées au moins une fois par un garçon et se sont rongé les sangs à attendre qu'il les appelle, leur demande de sortir avec lui, les invite à une soirée. Et à cause de toute cette pression que nous nous imposons à propos de tel ou tel type, nous finissons par sortir avec un garçon qui ne nous convient pas du tout. Et quand nous trouvons quelqu'un d'apparemment spécial, nous oublions nos amies…

Je m'efforçai de ne pas regarder Diane.

— … ou alors nous nous transformons pour lui plaire, au lieu de faire ce qui nous rend heureuses ou ce qui nous paraît juste. Pourquoi fait-on des trucs pareils ? Pourquoi ça nous mine tant ?

Mes épaules se décontractèrent enfin, tandis que la plupart des filles hochaient la tête en signe d'assentiment.

— Je sais que certains pensent que je suis pessimiste, mais franchement, regardez un peu la population masculine de McKinley, hein ?

Des rires emplirent la pièce.

— Ce n'est pas comme si on avait une brassée de mecs décents à notre disposition !

Plusieurs filles applaudirent.

— Absolument !

— Maintenant, je ne dis pas que nous devons laisser tomber les mecs pour le reste de nos vies. Je ne suis pas folle *à ce point*. Mais je crois que nous ne devrions pas nous laisser aller, que nous devrions passer nos deux dernières années à McKinley à nous amuser entre amies. Les mecs ne feraient que ficher le bazar entre nous. Regardez autour de nous : nous formons un super groupe ce soir, un groupe de soutien. Nous pouvons tout réussir si nous restons soudées. Nous devons seulement croire en nous-mêmes. Et nous méritons d'avoir tout ce que nous voulons. Si l'une d'entre nous a besoin d'aide pour un examen, nous devons lui prêter main-forte. Si l'une de nous veut poursuivre ses rêves, quoi qu'en pensent les autres – je fis un clin d'œil à Diane – nous devons la soutenir. Ainsi, tout ce que nous demandons aux adhérentes du Club, c'est qu'elles-mêmes et leurs amies passent avant les garçons. Chaque samedi soir, nous sortirons toutes ensemble. Nous avons besoin de rester ensemble pour nous rappeler les unes aux autres combien nous sommes spéciales. Et la cerise sur le gâteau ? Nous n'avons plus besoin de supporter les bêtises des garçons !

Amy se leva.

— A Penny !

— Non, protestai-je. Ce n'est pas à propos de moi. C'est à propos de nous. Au Club des cœurs solitaires ! La salle explosa en cris et en clameurs. Diane alluma la stéréo et laissa entrer les seuls garçons admis dans le Club : les Beatles.

— Tu sais, Penny, dit Diane par-dessus la musique. Si j'avais su que me faire larguer aurait une influence aussi positive, j'aurais fait en sorte que Ryan me laisse tomber depuis longtemps !

Je me mis à rire. Etait-ce le succès du Club, la musique, ou simplement le sens de l'humour de Diane ? Toujours est-il qu'il me semblait que ce fût la chose la plus drôle que j'aie jamais entendue.

— Qu'est-ce que vous complotez, toutes les deux, demanda Tracy en se balançant au rythme de la musique.

Elle me donna un coup de hanche et je faillis tomber.

— As-tu la moindre idée de ce que tu viens de déclencher, mademoiselle Penny Lane ? Tu as changé à toi seule la structure sociale du lycée de McKinley. Tu sais ce que ça veut dire ?

Je ne l'avais jamais envisagé de cette manière.

— Quoi ?

Elle sourit.

— Eh bien, si les mecs nous semblaient des imbéciles avant ça, maintenant, ils vont rester à des kilomètres de nous !

Nous nous observâmes toutes les trois avant d'éclater de rire. Si le reste de ma vie au lycée était ainsi, cela ne me dérangeait pas du tout !

20

— S alut, Penny… C'est Ryan.

Je fixai mon téléphone sans comprendre. Pourquoi Ryan m'appelait-il ? On était jeudi soir et je l'avais vu au lycée il y avait quelques heures à peine. Le fait qu'on n'ait eu que des conversations artificielles depuis le bal rendait son appel encore plus insolite.

— Allô ? Penny ?

Parle ! Dis quelque chose.

— Ah oui… Salut, Ryan, quoi de neuf ?

— Pas grand-chose. J'avais une question à propos du cours d'histoire. Je crois que j'ai recopié le mauvais chapitre qu'on est censés lire. C'est le chapitre douze ?

— Attends, laisse-moi vérifier…

Je dus me retourner pour attraper mon agenda sur mon bureau.

— Zut !

Une violente douleur traversa mon orteil gauche quand il heurta le pied de ma chaise. Super.

— Oui, chapitre douze.

Un silence à l'autre bout du fil.

— Ça va ?

Apparemment, cela n'allait pas très fort.

— Ouais, ça va... Je me suis cogné l'orteil.

— O. K., merci, Penny.

Une autre longue pause.

— En fait, je voulais te demander autre chose... Euh, mes parents ont des billets pour voir ce groupe qui fait des reprises des Beatles au Civic Center dans quelques semaines..., mais ils se sont rendu compte qu'ils devaient assister à un mariage au même moment..., alors ils voulaient demander à des amis s'ils étaient intéressés, mais j'ai pensé que ce serait sympa de... te le proposer d'abord.

Ryan parlait vraiment vite ; aussi me fallut-il quelques secondes pour comprendre ce qu'il me demandait.

Il me demandait de sortir avec lui, non ?

Bien sûr que non. C'était stupide. Il sortait avec cette petite... *chose* aux cheveux roux.

J'étais son amie. Son amie fan des Beatles, voilà tout. Il était donc logique pour lui de me proposer d'aller à un non-rendez-vous pour voir un faux concert des Beatles.

— Allô ? Penny ?

Oups.

— Euh, ça semble sympa.

Je peux encore être amie avec des garçons. Ryan et moi avons toujours été amis. Il n'y a aucune chance qu'il me voie autrement. Qu'est-ce qu'il avait dit déjà à la soirée de Paul ? *Je ne ferai jamais rien avec elle.*

— Génial. Diane m'a dit que tes parents sont contre les imitateurs, mais elle a pensé que ça pourrait te plaire.

Diane était au courant ! Pourquoi ne m'avait-elle pas dit que Ryan allait me proposer de..., de l'accompagner à une soirée ?

Je m'éclaircis la gorge.

— Ça me semble cool. Merci d'avoir pensé à moi.

— Evidemment ! Avec qui d'autre aurais-je pu aller voir des reprises des Beatles, si ce n'est Penny Lane en personne ?

Oh !

— Alors, on verra les détails plus tard, mais je m'étais dit qu'on pourrait aller manger un truc avant le concert. Ça te va ?

— Ça semble super, Ryan. A demain alors.

Je raccrochai le téléphone et le fixai.

Soudain, la vérité m'apparut. J'avais accepté de me rendre à un concert en hommage aux Beatles avec Ryan Bauer. A présent, j'allais devoir le dire à la personne qui supporterait le moins cette idée.

— Oh ! Penny Lane, non, non, non ! Tu me déçois énormément. Comment peux-tu faire une chose pareille ?

Cela s'annonçait plus dur que je le pensais.

Je m'assis à la table de la cuisine.

— Allons, maman, ce n'est pas si grave.

Maman posa sa tasse de café et me dévisagea comme si j'avais deux têtes.

— Penny Lane, je pensais que ton père et moi t'avions élevé mieux que cela ! Comment peux-tu aller voir de vulgaires imitateurs ? C'est vraiment… David, aide-moi !

Mon père cessa de se cacher derrière son journal et le posa.

— Ecoute, Becky, je ne crois pas que ce soit une mauvaise chose. Au moins, elle s'intéresse à son héritage. On devrait faire confiance à Penny Lane et savoir que ce qu'elle va écouter n'a rien à voir avec nos idoles.

Tu te rappelles son embarras le jour de la cérémonie de remise des diplômes de Lucy ?

Oui, j'ai été mortifiée à cette remise de diplômes, mais malheureusement, c'étaient mes parents, les armes d'humiliation massive.

Un pauvre diplômé a chanté une version peu flatteuse de *Yesterday*, et mes parents ont failli quitter l'auditorium en signe de protestation. Ils ont même refusé d'applaudir.

Cela n'aurait pas été si dramatique s'ils n'avaient été assis à côté des parents du pauvre garçon, qui filmaient la prestation de leur fils chéri.

Je suis sûre qu'ils ont apprécié les commentaires de mes parents sur la vidéo : « Ah, ce n'est pas du tout ça…

Pourquoi les gens éprouvent-ils le besoin de massacrer un classique ?… Il n'y a qu'un seul Paul McCartney et toi, mon gars, tu n'es pas Paul ! »

— Ah oui, papa, c'était affreux.

Je me levai et commençai à vider le lave-vaisselle. Peut-être cela mettrait-il ma mère de meilleure humeur.

— Qu'en dis-tu, Becky ? demanda mon père en pressant la main de sa femme.

— Bon, soit…, répondit ma mère d'un air défaitiste.

Je m'efforçai de ne pas rire en ouvrant le haut du buffet pour ranger les verres.

— Oh ! ne sois pas triste ! Rappelle-toi que nous avons des invités dans quelques semaines ! dit mon père pour la faire sourire.

— C'est vrai ! Penny Lane, nous avons oublié de te le dire… C'est une merveilleuse nouvelle : les Taylor vont se joindre à nous pour Thanksgiving. N'est-ce pas… ?

Je clignai plusieurs fois des yeux pour rester concentrée tout en sentant le verre m'échapper des mains.

Il explosa sur le sol. Je levai les yeux et vis l'expression choquée de mes parents.

Ils ne venaient tout de même pas de dire...

— Oh ! Penny ! se lamenta ma mère en allant chercher le balai et la pelle dans le placard.

Je restai figée sur place tandis qu'elle nettoyait les dégâts autour de moi.

— Qu'est-ce qui t'a pris ?

Comment leur expliquer ?

C'était un vrai cauchemar.

21

L e lendemain matin, j'étais encore sous le choc. L'esprit confus, je m'assis dehors en attendant que Tracy passe me chercher. Après la nouvelle terrible que j'avais apprise la veille au soir, j'avais plus que jamais besoin de ma meilleure amie.

En voyant la voiture de Tracy tourner sur Ashland, je me mis pratiquement à courir dans la rue. La voiture était à peine arrêtée que j'ouvrais la portière et m'engouffrais sur le siège passager.

— Waouh ! On dirait que l'une de nous est impatiente d'aller au lycée.

— Tu ne croiras jamais ce qui m'est arrivé hier soir !

Ma voix tremblait, tant j'étais au bord de la crise de nerfs.

— Eh bien ! Qu'est-ce qui se passe, Pen ? Avec tout ce qui s'est produit ces dernières semaines, je suis sûre que ça ne peut pas être aussi grave.

— Oh ! vraiment, vraiment, je crois que tu devrais garer la voiture pour entendre ce que j'ai à dire.

Tracy s'exécuta et je lui annonçai la nouvelle. On aurait dit que celle-ci couvait depuis des semaines, et non des heures.

— QUOI ? Pourquoi ne m'as-tu pas appelée ?

— Je t'ai laissé au moins quatorze messages.

Tracy pêcha son téléphone dans son sac et poussa un juron.

Je poursuivis mon explication.

— C'est tellement…, tellement… affreux. Je ne veux plus jamais le revoir. Que suis-je censée faire ?

Des larmes perlèrent à mes paupières.

— Tu veux dire en dehors de le tuer ? Qu'ont dit tes parents exactement ? Tu leur as expliqué que ce salaud n'était pas le bienvenu chez vous ?

Je secouai la tête.

— Bien sûr que non. Tu sais bien qu'ils n'ont aucune idée de ce qui s'est passé cet été entre Nate et moi. Ils sont tellement aveugles parfois.

— D'accord, donne-moi les grandes lignes et je vais organiser une réunion de crise du Club des cœurs solitaires pour le déjeuner, afin que nous puissions toutes t'aider.

Non seulement je passais la matinée la plus douloureuse de ma vie, mais en plus j'allais être totalement déconcentrée en cours.

Par chance, Tyson avait été désigné pour être mon partenaire au labo de biologie pour la dissection d'un fœtus de porc. Or, il semblait aussi doué en biologie qu'en punk rock. Je devais être dans un sale état, car même lui perçut mon désarroi.

— Hé ! Tout va bien ? demanda-t-il en levant les yeux de la feuille d'instructions.

J'acquiesçai d'une voix mourante.

— Alors, tu penses qu'on devrait l'appeler comment ?

De quoi parlait-il ?

— Quoi ?

Un sourire étira ses lèvres. Je découvris avec surprise qu'il avait de jolies dents.

— Tu sais bien, comment on l'appelle ? dit-il en désignant le fœtus de porc sur la table de dissection.

— Oh ! d'accord.

— Bon, dit Tyson en examinant la chose de plus près. Je pensais à Babe ou Wilbur.

Je le regardai avec stupéfaction.

— Quoi ? Tu croyais que j'allais dire Slash ou Killer ?

Je ne pus m'empêcher de rire. C'était exactement ce que j'avais en tête.

— J'aime bien Wilbur, répondis-je en baissant les yeux sur le pauvre animal.

— Alors, ce sera Wilbur, approuva Tyson en écrivant le nom.

A la fin du cours, je rassemblai mes affaires à toute vitesse et quittai la salle presque en courant et en bousculant plusieurs de mes camarades.

Le couloir bruissait des conversations des élèves et des claquements de casiers lorsque je me dirigeai vers la cafétéria au pas de charge.

Là-bas, je vis Jen et Tracy en train d'arranger les tables dans un coin de la salle.

— Nous avons une réunion importante aujourd'hui, déclara Tracy en déplaçant les chaises.

Notre tablée rassemblait désormais plus de monde que celle du contingent sportifs/pom-pom girls.

Les membres du Club prirent rapidement place. Toutes les filles m'adressèrent un sourire et m'étreignirent avant de s'asseoir.

Après quelques minutes, le silence se fit et les filles m'observèrent avec des sourires d'encouragement.

— Bon, je suppose que je devrais tout vous dire, fis-je en posant mon sandwich. Tout d'abord, merci d'être toutes réunies aujourd'hui pour me soutenir. J'ai vraiment besoin de toute l'aide possible.

Je passai en revue les visages de mes amies – anciennes et nouvelles. Je pris une grande inspiration avant de leur annoncer l'ampleur du désastre.

— Hum, je suppose que vous vous souvenez de Nate...

Apparemment, elles s'en souvenaient, à en juger les grognements et les divers « sale type » et autres « salaud » murmurés.

— Eh bien, hier soir, mes parents ont lâché une bombe : Nate et sa famille vont venir passer Thanksgiving avec nous ! Boum !

Hilary leva la main.

— Euh..., Hilary ?

— Pourquoi ne racontes-tu pas à tes parents ce qui s'est passé? Ils comprendraient sûrement parfaitement la situation et reviendraient sur leur invitation.

— J'y ai pensé, mais monsieur Taylor est l'un des plus vieux amis de mon père. Je ne veux pas qu'il sache que son fils est un sale con.

Jackie Memmott leva le bras à son tour.

— Les filles, dis-je, on n'est pas en cours. Vous n'avez pas besoin de lever la main pour prendre la parole.

Le bras de Jackie disparut aussitôt et elle baissa les yeux, gênée.

— Désolée, Jackie... Tu voulais dire quelque chose ?

— Tu peux passer Thanksgiving avec ma famille si tu veux, Penny.

Un chœur de « Moi aussi ! » s'éleva du groupe. C'était là la preuve que, quoi qu'il arrive, j'allais m'en sortir.

— Merci infiniment, à vous toutes. Je pense que ma réaction est légèrement exagérée. C'est peut-être une bonne chose que je le voie, en fait. Après tout, nous n'avons pas vraiment mis les choses au point. Chaque fois qu'il était dans le périmètre, je prenais la tangente.

— Hé ! Pen, dit Tracy. Je serais enchantée de t'aider à mettre les choses au point avec lui. Enfin, si par *mettre les choses au point*, tu veux dire lui *botter les fesses* !

Je commençais à me détendre. De plus, Tracy n'avait pas tort. Je ne voulais pas me montrer violente, mais je n'allais pas laisser passer l'occasion de lui dire ma façon de penser.

— Très bien, assez parlé de moi ! L'une de vous a quelque chose à dire – en rapport avec les garçons ou pas ?

Jen bondit de sa chaise.

— En fait, oui ! On a un truc à vous dire, dit-elle en désignant Jessica et Diane. Comme plusieurs d'entre vous le savent, l'équipe de basket-ball a désespérément besoin de nouveaux uniformes. Et puisqu'apparemment tout l'argent est alloué aux sports des garçons, nous devons trouver un moyen de lever des fonds. Nous aimerions faire quelque chose de différent, pour changer du lavage de voitures ou la vente de friandises. Alors, que pensez-vous d'organiser une soirée karaoké pour gagner de l'argent ?

Erin Fitzgerald poussa un cri.

— J'adore cette idée, Jen ! C'est brillant !

Personne ne fut étonné de la réaction d'Erin, car tout le monde au lycée savait qu'elle avait la plus belle voix de McKinley et ne ratait jamais une occasion de le montrer.

— Merci, mais vous pensez que ça pourrait marcher ? fit Jen. Demander un dollar par personne pour avoir le droit de chanter ?

Erin leva la main.

— D'autres qu'Erin ? ajouta Jen.

— On a le droit de se produire en groupe ? demanda Amy.

— Je ne vois pas pourquoi ce serait interdit.

Les filles commencèrent à débattre avec excitation du projet et des choix des chansons.

Jen avait l'air enchanté.

— Très bien, nous allons le faire. Mais promettez-moi de m'aider si les gens jouent les poules mouillées.

Erin se leva.

— Je te promets que je serai la première sur les rangs ! J'ai hâte d'y être !

— Alors, Diane, comment se passent les entraînements ? demanda Amy.

Diane sourit.

— Eh bien, les gens me regardent différemment depuis quelques jours parce que…

Elle soupira, se leva et posa son pied sur la table.

Tracy faillit s'étrangler.

— Diane, tu portes des *baskets* ?

— Yep ! Je suis officiellement souffrante et incapable de porter des talons. C'est incroyable que vous ne l'ayez pas remarqué. Je fais presque 10 centimètres de moins !

— Je savais bien que tu étais différente ! s'exclama Tracy.

— Oh ! et ce n'est pas tout.

Diane prit un air malicieux en fouillant son sac pour en retirer un gros morceau de pain.

— Je mange des féculents !

— Bon sang ! cria Tracy, les yeux arrondis de surprise. C'est comme si tu étais devenue une tout autre personne.

Diane jeta une serviette en papier à Tracy.

— Non, je suis seulement affamée à cause de tous ces entraînements. C'est génial, les filles. Je suis si excitée !

— Elle va devenir un membre clé de l'équipe, proclama Jen. Meg, tu devrais faire le portrait de notre nouvelle joueuse.

Meg Ross sourit.

— A ce propos, je voulais vous parler d'un projet samedi soir, mais j'ai des délais à respecter, alors autant vous le dire tout de suite. Comme certaines d'entre vous le savent, je suis rédactrice au *McKinley Monitor* et, eh bien, j'aimerais écrire un article sur le Club des cœurs solitaires.

Oh ! mon Dieu, non. Je n'étais pas certaine de pouvoir supporter autant de drames dans ma vie. Le journal du lycée ?

Meg poursuivit.

— Le Club fait de plus en plus parler de lui, mais la plupart des gens ne comprennent pas vraiment de quoi il s'agit. Je pense qu'il est important de leur donner notre version de l'histoire. Qu'est-ce que vous en pensez, les filles ?

Meg me regarda droit dans les yeux en posant cette question, et il est clair que je n'avais guère le choix de la réponse. Le Club des cœurs solitaires allait devenir célèbre.

— Alors, tes parents sont d'accord pour le concert ? demanda Ryan à la fin de la journée.

— Eh bien, disons qu'ils sont d'accord à leur manière…

Il me sourit et je sentis mon cœur s'emballer. Il fallait vraiment que je découvre ce qui me rendait si nerveuse avant notre sortie.

— Hé ! salut, Ryan. Prêt pour notre jogging ?

Diane nous rejoignit avec sa tenue de sport.

— Yep, je dois juste remettre quelques rapports étudiants à Braddock, répondit Ryan.

— D'accord. Sérieusement, à quoi ça sert ?

Ryan haussa les épaules.

— Ecoute, quand je le saurai, je te le dirai. On est passés dans nos discussions du football à la prochaine saison de basket-ball. Ça commence à m'ennuyer de rater le soutien scolaire une fois par semaine.

Diane roula les yeux.

— Oh ! pauvre chéri.

Il fit la grimace avant de se diriger vers le bureau du principal.

Tous deux semblaient plutôt… amicaux, même si je savais mieux que personne qu'ils étaient seulement amis.

— Au moins, nous voilà seules, dit Diane en me souriant. Alors, les carottes sont cuites !

Je me statufiai.

— De quoi tu parles?

— Quand au juste comptais-tu m'annoncer que Ryan et toi allez bientôt à un concert ?

Mon cœur cessa de battre.

— Oh ! Diane, je suis désolée. C'est juste qu'avec l'histoire de Nate, cela m'était totalement sorti de l'esprit. Je pensais l'annoncer au Club, mais je ne voudrais pas que les filles pensent que j'ai un rendez-vous ou un truc de ce genre. Enfin, je voulais lui dire non, mais Ryan m'a dit que c'était un peu ton idée et j'ai pensé que cela ne te dérangerait pas...

Diane se mit à rire.

— Hé ! Relax. Pas du tout, Pen ! Ça ne me gêne pas du tout. J'attendais seulement que tu m'en parles. Tu as peur de la réaction des filles du Club ?

— Honnêtement ? Je n'y ai pas vraiment pensé. Il m'a appelé hier soir et avant que j'aie pu y réfléchir, mes parents m'ont annoncé la venue de Nate, alors...

La situation était un peu gênante.

— Que t'a dit Ryan exactement ?

Le sourire de Diane s'élargit.

— Pas grand-chose. Il m'a demandé si je pensais que cela t'intéresserait d'aller au concert avec lui. Il avait peur de te blesser.

— Pourquoi ?

Diane enroula une longue mèche blonde autour de son doigt.

— Il pense que tu es une vraie fan des Beatles et que tu ne veux pas entendre ce genre de groupe qui fait des reprises.

— Oui, mes parents ne comprennent pas pourquoi les gens font des remakes – même des films. Ils sont tellement traditionnels, même si le terme *traditionnel* est sûrement le dernier mot que les gens emploieraient pour qualifier mes parents.

Diane m'adressa un sourire.

— Je suis sûre que vous allez bien vous amuser tous les deux.

— Diane, cela ne te dérange pas, vraiment ?

Elle hocha la tête.

— Absolument pas. Vous êtes les deux personnes les plus importantes de ma vie. Pourquoi est-ce que cela me gênerait ?

Je fis une pause avant de répondre.

— Il n'y a pas de raison, en effet.

— Bon, allez, je vais m'échauffer. Tu peux dire à Ryan que je le retrouve sur la piste ?

— Bien sûr.

L'idée de me retrouver seule avec lui me mit instantanément mal à l'aise. Il revint quelques minutes plus tard.

Diane a dit qu'elle te retrouverait sur la piste.

— O. K., merci.

Je me dirigeai vers le casier de Tracy.

— Hé ! Penny !

— Oui ?

Je me tournai et le vis me sourire.

— Je suis vraiment content que tu viennes avec moi au concert. C'est sympa de passer un peu de temps ensemble en dehors du lycée.

Interdite, je le regardai sans mot dire.

— A demain !

Avant de s'éloigner, il me pressa doucement le bras.

Cette histoire allait mal se terminer.

22

Meg passa toute la soirée du samedi à interviewer les membres du Club pour son article. Mais elle voulait nous interroger, Tracy, Diane et moi, séparément.

Certes, j'étais à cent pour cent investie dans le Club et enchantée de son succès, mais cette interview tombait au plus mauvais moment.

Les regards que les mâles de McKinley et les filles non membres du Club nous jetaient étaient de plus en plus bizarres. Todd ne m'adressait plus la parole.

— Alors, tu te considères comme une féministe ? me demanda Meg après avoir écouté mon récit.

— Euh, je suppose…

Belle réponse.

Il fallait que je me concentre sur l'interview. Le Club était trop important pour moi et je voulais en donner une image positive.

— Tu as intérêt à dire des trucs sympas sur moi, nous interrompit Tracy en pénétrant dans la pièce. C'est mon tour maintenant ?

Meg éteignit son magnétophone.

— Je vais chercher une nouvelle bande et je reviens tout de suite.

Depuis plus d'une semaine, je repoussais le moment d'annoncer à Tracy ma sortie avec Ryan. Comme Meg était sortie, le moment me parut opportun.

Après m'avoir écoutée, elle répondit :

— Alors, qu'est-ce que tu en penses ?

— Ça a l'air plutôt cool. Ce n'est pas un rendez-vous au moins ?

— Tu plaisantes ou quoi ? Non, Tracy, c'est juste un concert. Pas de quoi en faire une histoire.

— Ouais, j'ai toujours aimé Ryan. Je suis surprise qu'il ne sorte avec aucune fille.

— Eh bien, il est allé au bal avec Missy...

— Penny, il ne sortait pas avec elle... Il l'a juste accompagnée au bal. Il est cent pour cent célibataire.

Mon cœur fit un raté.

— Bon sang, je devrais dire à Meg de créer une rubrique potins dans le *Monitor*. Que ferais-tu sans ma connaissance de tous les commérages de McKinley, dis-moi ? Au fait, tu ne croiras jamais ce que les petits morveux m'ont fait endurer hier soir pendant mon baby-sitting...

Ainsi, la conversation se poursuivit naturellement. Je n'avais donc aucune raison de m'inquiéter. Nous n'étions que deux copains de classe qui se rendaient ensemble à un concert. Rien de plus.

Diane semblait sur le point d'avoir la nausée.

— Tout va bien se passer, dis-je, faisant de mon mieux pour la rassurer.

— Oh ! mon Dieu ! Oh ! mon Dieu ! Oh ! mon Dieu !...

Elle faisait les cent pas dans le couloir, poings serrés.

Tracy et moi échangeâmes un regard inquiet.

Diane se laissa tomber sur le sol.

— A quoi avais-je la tête ?

Je m'assis à côté d'elle. Tracy s'éloigna de quelques mètres pour nous laisser un peu d'intimité.

— Diane, lui dis-je en plaçant un bras autour de ses épaules. Je n'en reviens pas de voir combien tu as changé ces dernières semaines – tu devrais être fière de toi. Quoi qu'il arrive.

Le coach Ramsey ouvrit alors les portes du gymnase et se dirigea lentement vers le tableau d'affichage.

Un groupe de filles s'écartèrent pour lui laisser un étroit passage et se pressèrent derrière lui pour lire la feuille qu'il punaisa au tableau.

— Tu veux que j'aille voir ? demandai-je.

Diane leva les yeux quand plusieurs filles bondirent de joie et se félicitèrent. Tracy s'avança vers le tableau pour parcourir la liste. Le coach Ramsey nous dépassa pour retourner au gymnase, s'arrêta et se tourna vers nous.

— Bienvenue dans l'équipe, Monroe.

Les yeux de Diane s'arrondirent.

— Vous voulez dire… ?

— Bien sûr que tu fais partie de l'équipe ! s'exclama Tracy, incapable de se contenir plus longtemps. Tu es une vraie tueuse, Diane !

Diane bondit sur ses pieds et se précipita vers le tableau. Un grand sourire se peignit sur son visage quand elle étudia la composition de l'équipe.

— Je... je... bredouilla-t-elle en se tournant vers nous. J'ai réussi ! C'est fou ! J'ai réussi !

Elle se précipita sur moi et me serra dans ses bras à m'étouffer.

— Félicitations, on savait toutes que tu y arriverais !

Je venais pratiquement de crier ; j'étais tellement excitée pour elle.

— Très bien, les filles, vous pouvez venir maintenant !

Une bande de filles hystériques apparut en brandissant une immense affiche indiquant *Félicitations, Diane !*

— Qu'est-ce qui se passe ? demanda Diane, sous le choc.

— Tu ne voulais pas qu'on vienne toutes au cas où tu ne serais pas admise dans l'équipe, mais évidemment toutes les filles ont tenu à être là pour toi.

Laura brandit fièrement sa pancarte *Tu es la meilleure, Diane !* et la retourna pour révéler l'autre option : *Ils ne savent pas ce qu'ils ratent !* Laura lui adressa un clin d'œil.

— Hé ! hé ! Il fallait se préparer à toutes les éventualités.

Diane était entourée d'un essaim de supportrices, qui comptait tous les autres membres de l'équipe.

Tracy passa son bras sur mes épaules.

— Notre petit bébé a drôlement grandi ! Est-ce qu'on aurait jamais pu imaginer un truc pareil ?

Je secouai la tête.

— Pas même dans mes rêves les plus fous.

— Génial ! Génial ! Lis ce qu'on raconte sur nous ! me dit Meg près des casiers entre deux cours lundi et en me tendant un exemplaire du *McKinley Monitor*.

Je m'emparai du journal et ouvris de grands yeux en voyant le gros titre à propos du Club et la photo de nous en première page.

— Oh ! je n'imaginais pas que ce serait aussi visible, commentai-je en tentant de ne pas céder à la panique.

Je me précipitai dans les toilettes des filles, vérifiai les box pour m'assurer que j'étais seule, et m'assis.

Le récit ne me surprit pas particulièrement, jusqu'à ce que je lise les derniers paragraphes.

Des rumeurs tourbillonnent depuis quelques semaines à propos du Club, en particulier dans les esprits des mâles de McKinley.

« Tant d'estrogènes en un seul endroit n'est pas une bonne chose, a commenté Todd Chesney. Je trouve que ce truc de ne pas sortir avec des garçons est débile. »

« Je n'ai pas vraiment remarqué de changements chez les filles du lycée, a déclaré Derek Simpson, élève de dernière année, si ce n'est qu'elles sont un peu difficiles à approcher. »

En dépit des inquiétudes de la population mâle de McKinley, le Club des cœurs solitaires n'est pas près de ralentir l'allure.

« Je suis tellement excitée à l'idée de ce qui va se passer ensuite, a dit Bloom. Les possibilités semblent infinies. »

Une chose est sûre. Votre journaliste a hâte d'assister à la prochaine réunion du Club, qui existe grâce à Penny Bloom et son cœur solitaire.

Je fixai les derniers mots sans comprendre. *Penny Bloom et son cœur solitaire.*

Mon estomac se noua quand la cruelle vérité m'apparut : tout le lycée allait lire ceci. *Tout le lycée.*

Qu'allaient bien pouvoir penser les gens après cela ?

23

J'avais l'impression d'avoir été mise à nu. Exposée aux yeux de tous. Donc, il me paraissait logique de me retrouver en cours de bio, en train de disséquer notre cochon, quand mon tranquille partenaire punk rock, Tyson, me dit :

— Euh…, Penny, il y a un truc dont je voulais te parler.

Il se recula sur son siège et fixa ses mains.

— Eh bien…, j'ai lu l'article à propos de ton club. C'est vrai que les filles qui en font partie ne peuvent sortir avec aucun garçon ?

— Euh, oui, mais il n'y a pas que ça dans ce club.

Pour la première fois depuis que je le connaissais, Tyson me regarda droit dans les yeux.

— Tu sais, tous les mecs du lycée ne sont pas des salauds.

J'étais abasourdie.

— Je ne pense pas…

Il replaça une mèche de cheveux derrière son oreille.

— Peut-être que certains d'entre nous méritent une chance.

Je hochai lentement la tête.

— Tu sais, c'est vraiment difficile pour un mec de trouver le courage d'inviter une fille à sortir.

Baissant les yeux sur la table, je me demandais où il voulait en venir.

— Je m'étais enfin décidé à le faire… et puis j'ai lu l'article. Maintenant, c'est fichu, puisque Morgan n'a pas le droit d'aller à un rendez-vous.

Ma mâchoire faillit se décrocher. Je me tournai aussitôt vers Morgan et son partenaire qui étaient en train de lire le programme du cours.

— Ne la regarde pas ! s'écria Tyson en se recroquevillant sur son siège.

Oh ! mon Dieu.

Tyson aimait bien Morgan ! Pourquoi ne l'avait-il pas admis plus tôt ?

— Oublie ce que je t'ai dit.

Il ouvrit son cahier de textes et se mit à griffonner dedans avec ardeur. Je jetai un coup d'œil par-dessus son épaule et constatai que la page était couverte de mots – probablement des paroles de chanson. J'aurais voulu lui arracher le cahier et le lire. Je l'avais déjà vu écrire des choses dedans – je pensais seulement qu'il recopiait cent fois le nom de son groupe. Jamais je n'aurais imaginé qu'il couchait son cœur sur le papier.

Je me dirigeai vers la cafétéria dans un brouillard. Pendant que je faisais la queue, hésitant entre la pizza et les nuggets de poulet, une horrible voix haut perchée me héla.

— *Oh mon dieu !* C'est pathétique !

Missy se tenait près d'un couple d'aficionados de sa petite personne.

Je pris une part de pizza et une bouteille d'eau, puis me dirigeai vers la caisse enregistreuse.

Elle me suivit de près.

— Hé ! Regardez qui est là, Penny le cœur solitaire. Dis-moi, où sont tes groupies, Penny ?

Missy fit tournoyer sa tête de droite à gauche d'un air théâtral pour balayer la salle du regard. Puis elle me dévisagea, ses acolytes gloussant derrière elle.

— Tu n'autorises que les gens pathétiques à entrer dans ton club ?

Je levai les yeux au ciel et m'apprêtai à la contourner, mais elle me bloqua le passage.

— Tu es sérieuse, là ? rétorquai-je. C'est quoi ton problème exactement ?

Plusieurs personnes nous observaient à présent.

Missy ouvrit de grands yeux, s'efforçant d'avoir l'air innocent.

— Un problème ? *Moi ?* Non, non, je suis seulement triste de te savoir si *solitaire.*

Le club des fans de Missy se tapa dans les mains.

— C'est ridicule…

Je tentai de me défiler, mais Missy m'agrippa le coude.

— Quoi ? Je ne peux pas entrer dans ton club ? Oh ! attends… Non, bien sûr, parce que des garçons veulent sortir avec moi…

Une voix s'éleva derrière moi.

— Tu ne peux pas entrer dans notre club parce qu'on y admet que les filles dotées d'un QI.

Missy lâcha prise et je me tournai pour voir Diane debout derrière moi, les bras croisés sur sa poitrine.

— Généralement, on préfère des filles qui ont un minimum de personnalité. Joli haut, Missy, ajouta Diane en reluquant ouvertement sa chemise ras du cou agrémentée d'une cravate. C'est tellement *moi…* il y a deux ans.

Je pensais qu'on s'en tiendrait là, mais Diane se pencha vers Missy et lui susurra :

— Tu auras beau tout faire pour me ressembler, il ne sortira *jamais* avec toi.

Si c'était humainement possible, de la fumée serait sortie des oreilles de Missy. Je me délectais tellement de cette escarmouche que je fus surprise quand Diane me prit le bras et lança :

— Allez, ne perdons pas plus de temps, Pen.

Une salve d'applaudissements nous accueillit à notre table. Diane fit une petite révérence.

— Salut, les filles !

Une voix forte réduisit aussitôt le groupe au silence. Rosanna Shaw, une élève de dernière année, s'approchait avec son plateau. Elle s'incrusta dans le petit espace entre Tracy et moi.

— Je peux me joindre à vous ? demanda-t-elle à Tracy.

Tracy s'écarta et Rosanna prit place.

— J'ai adoré, vraiment ADORE l'article, les filles. Qu'est-ce qui se passe ? demanda-t-elle ensuite comme si elle venait de rater quelque chose d'important.

Je haussai les épaules.

— Rien. On parlait juste de…

— Peu importe, vous n'allez pas croire ce qui m'est arrivé ce matin en venant au lycée…

Rosanna se lança dans un récit détaillé qui avait, je crois, un rapport avec l'eau chaude disparue de sa douche, mais elle parlait tellement que je finis par perdre le fil de l'histoire.

Je balayai la tablée du regard et constatai que toutes les filles regardaient ailleurs. Kara se pencha pour dire quelque chose à Morgan.

— Hé ! je n'ai pas terminé ! explosa Rosanna.

— Euh, en fait, dit Diane, les gens sont autorisés à parler entre eux à table.

Quelques filles gloussèrent.

— Oh ! désolée. Je suppose qu'il faudra que j'étudie les règles du Club plus tard. Je trouve seulement qu'il est *malpoli* d'interrompre une personne en train de parler.

Rosanna continua à bavasser durant tout le repas. Bientôt, les filles s'éclipsèrent une à une.

— Euh, Penny, on devrait vraiment réfléchir à une sorte d'examen d'entrée pour le Club, dit Tracy en m'accompagnant à mon casier. Depuis l'article, un tas de filles veulent devenir membres, mais pas forcément pour les bonnes raisons, si tu veux mon avis. Franchement, Rosanna Shaw n'est pas là pour se faire des copines. Elle veut juste un public pour ses histoires foireuses.

J'hésitai.

— Je sais qu'elle peut être agaçante, mais je pense que nous devrions au moins lui laisser une chance.

— Sans doute. Hé ! Tu n'es pas impressionnée que je n'aie pas crié après elle ? Je crois que le Club adoucit mon caractère…

Je secouai la tête tout en récupérant mes livres pour le reste de l'après-midi.

— Salut ! lança Ryan en ouvrant son casier. Cet article dans le journal est vraiment super.

— Merci.

Ce ne serait pas ainsi tous les jours, si ?

— Alors, dit Ryan en s'adossant aux casiers et en cornant son livre de physique, tu es toujours partante pour la semaine prochaine ?

— Oui, pourquoi ?

— Oh ! rien…

Il posa la main sur mon épaule et j'eus l'impression de recevoir une décharge électrique.

— Comme, techniquement, tu es une célébrité, je me disais que tu aurais besoin d'un garde du corps.

Il me présenta son bras.

— Puis-je t'escorter jusqu'à ton prochain cours ?

Je lui pris le bras avec hésitation. Mes nerfs étaient en pelote.

— Bon sang, tu te fiches de moi, là ! s'écria Todd en s'approchant de Ryan. Ne commence pas à encourager Eleanor Rigby.

Ryan ôta son bras.

— Todd…

— Laisse tomber, Ryan. Tu viens en cours ou quoi ?

Todd ne daigna même pas me jeter un regard. Avant que Ryan ait pu dire un mot, je m'éloignai dans le couloir.

— Oh ! Penny, tu es solitaire ?

Une voix – pas celle de Todd – s'éleva derrière moi, suivie d'un rire. Je me contentai de baisser les yeux, désireuse de rejoindre ma classe au plus vite.

Le rire résonna longtemps dans le couloir derrière moi.

You've Got to Hide Your Love Away

« Comment oserais-je même essayer ?
Je n'ai aucune chance de gagner[1]... »

---

1. *How can I even try ? I can never win.* (NDT)

24

Être au lycée était devenu intolérable depuis la parution de cet article. Tous ces regards, ces expressions interloquées, cet intérêt soudain pour le Club. J'étais soulagée que ce soit enfin samedi soir.

Avant de me rendre au sous-sol, je vérifiai mes e-mails une dernière fois et tombai sur un message de Nate dont le sujet était :

S'il te plaît, lis mon message.

J'hésitai quelques secondes, puis l'ouvris.

Pen,
Je me rends compte que tu me donnes une chance rien qu'en lisant ces mots, même s'il est peu probable que tu le fasses. Tu as toutes les raisons d'être en colère contre moi. Je suis telle-ment désolé de t'avoir fait souffrir. Je me sens nul depuis mon retour. Tu me manques terrible-ment. Tu signifies tout pour moi, et ce que j'ai fait, ce que j'ai dit, c'était totalement nul. Je suis un idiot. Un imbécile. Un loser.

Je suis vraiment navré, Pen. Si je pouvais faire en sorte d'effacer tout le mal que je t'ai fait, je le ferais. J'ai besoin de toi dans ma vie et je suis perdu sans toi. Nos conversations me manquent. Te voir me manque. TU me manques !

Quand mes parents m'ont parlé de Thanksgiving, j'étais follement heureux à l'idée de te voir... jusqu'à ce que je réalise que tu ne ressentais sûrement pas la même chose. Trouveras-tu dans ton noble et magnifique cœur la force de m'écouter à Thanksgiving ? Il y a tant de choses que je veux que tu saches, que je voudrais te dire. Tu es tout pour moi, Pen. Je veux te retrouver et je ferai ce qu'il faut pour regagner ta confiance.

S'il te plaît, parle-moi.

Love,
Le Dernier des Imbéciles

Le curseur de la souris flotta au-dessus du bouton « effacer » sans que je parvienne à me résoudre à détruire ce message.

La sonnerie de la porte me fit sursauter. Je devais fuir loin de mon ordinateur et effacer cet e-mail de mon esprit.

— Tout va bien ? me demanda Tracy.

Je hochai la tête.

— Je crois que ça va être une grande réunion. On devrait se dépêcher de tout préparer.

Diane et Tracy échangèrent des regards perplexes. Je fis semblant de ne pas le remarquer.

Une demi-heure plus tard régnait dans le sous-sol un pur chaos.

Je cessai de compter le nombre de participantes à quarante.

Ce succès m'enthousiasmait, mais je ne pouvais m'empêcher de me demander si toutes ces filles étaient là parce qu'elles croyaient au Club des cœurs solitaires ou parce que c'était l'endroit branché du moment à McKinley.

— Bon, qu'est-ce qu'on fait ? s'écria Rosanna, avachie sur l'accoudoir d'un canapé plein à craquer.

Tous les regards se tournèrent vers moi.

— Je sens que mon sale caractère va refaire surface ce soir, me souffla Tracy.

— Donne-lui une chance, la suppliai-je.

Je ne pouvais supporter un drame de plus ce soir, pas après l'e-mail de Nate. Même s'il était clair que Rosanna n'avait pas bien saisi les enjeux du Club.

— Euh, bon, tout le monde...

Je haussai le ton pour inciter les participantes au calme.

— Nous sommes très nombreuses ce soir...

Rosanna leva la main.

— J'ai une question pour toi.

Je m'efforçai de ne pas avoir l'air las.

— Euh, oui ?

— Je croyais que nous étions censées ne plus sortir avec des garçons ?

— Eh bien, les membres, précisai-je pour lui rappeler qu'elle n'en était pas un membre officiel, savent que le Club représente bien plus que de ne pas...

— Ouais, mais tu ne vas pas à un rendez-vous avec Ryan Bauer ? rétorqua Rosanna d'un air parfaitement entendu.

Tous les regards étaient rivés sur moi.

Le « comité fondateur » – c'était ainsi que Tracy, Diane et moi appelions le groupe des six d'origine – était au courant de ma sortie avec Ryan.

Et personne n'avait paru s'en alarmer. Parce qu'il n'y avait aucune raison de le faire !

— Pas vraiment. Nous allons à un concert. Ryan et moi sommes amis depuis des années ; il n'y a pas de quoi en faire toute une histoire.

— Hum, hum. Donc, tu n'es pas intéressée par Ryan ?

Diane jeta un regard meurtrier à Rosanna.

— En fait, ce ne sont pas tes affaires.

— Pardon, répondit Rosanna en faisant virevolter ses cheveux fins striés de mèches blondes, mais tu me demandes de renoncer aux garçons ; alors, je voudrais être certaine que notre leader respecte cette règle fondamentale.

Elle n'essayait même plus de cacher ses sarcasmes.

— Je ne vais pas à un rendez-vous amoureux avec Ryan, répétai-je.

Diane se leva.

— Très bien. Que toutes les nouvelles recrues viennent avec moi en haut. Il y a certaines règles que je voudrais vous expliquer pour être sûre que toutes les filles ici présentes – elle jeta un regard appuyé à Rosanna – sont là pour de *bonnes* raisons.

Environ vingt filles suivirent Diane à l'étage.

— Dans quoi nous sommes-nous lancées ? demanda Jen.

J'étais un peu surprise. Elle leva les mains.

— Non, non, je ne parle pas du Club… Je parle de Rosanna et des autres filles venues ici pour vivre leur quart d'heure de gloire.

Bizarrement, *moi* je me posais la même question à propos du Club.

La semaine suivante passa tellement vite que jeudi arriva avant même que je m'en rende compte.

Je n'avais pas répondu à l'e-mail de Nate et il ne m'avait pas réécrit. Je le détestais d'avoir dit les mots justes. Je ne voulais surtout pas y réfléchir.

Ce qui signifiait que je ne pouvais pas en parler à mes amies. Car cela rendrait le problème encore plus réel. Et j'avais déjà suffisamment de soucis comme cela – notamment me défendre de mon non-rendez-vous avec Ryan, mais aussi trouver ce qu'une fille doit porter lors d'un *non*-rendez-vous.

Je parcourus le contenu de mon placard en espérant que la réponse viendrait d'elle-même. Au début, je me dis qu'un tee-shirt des Beatles vintage et un jean feraient l'affaire, puis je me rendis compte que ce serait trop banal : la cohorte des spectatrices de quinze ans porterait la même chose. Quand la sonnette de l'entrée retentit, je m'emparai d'un tee-shirt blanc ajusté et de mon blazer de velours côtelé bleu marine.

Je descendis l'escalier en courant et arrivai juste à temps pour entendre mon père dire à Ryan :

— Tu sais, je trouve génial que des groupes fassent vivre la musique comme ça, mais les spectateurs ne devraient pas s'y tromper...

— Me voilà ! les interrompis-je.

J'avais peur que Ryan ne se sauve en courant si mes parents continuaient dans cette voie. Je fis signe à mon père de s'éclipser, puis jetai un coup d'œil à Ryan en essayant de ne pas remarquer combien il était beau dans son pantalon large et sa chemise bleue – Rita et moi étions d'accord pour dire que c'était la tenue classique des garçons pour un premier rendez-vous amoureux, alors que les filles mettaient toujours un jean et un haut noir. Comme je ne portais pas de haut noir, ce n'était logiquement pas un premier rendez-vous.

— Attends une seconde, Penny Lane, me dit mon père en me regardant bizarrement.

S'il te plaît, ne me fais pas la morale, ne me fais pas la morale...

— Chérie, tu es magnifique ! C'est du maquillage que tu as là ?

Grand Dieu, pourquoi, pourquoi ?

Ryan me décocha un grand sourire, visiblement amusé par mes parents, comme la majorité des gens – excepté leurs enfants.

Mes joues étaient rouges d'embarras.

— Papa...

— Oh ! laisse-la tranquille, chéri.

Pour une fois, ma mère vint à ma rescousse.

— Passe une belle soirée, Penny. Toi aussi, Ryan. Et, Penny, tu es vraiment superbe. Je n'arrive pas à croire que tu grandisses si vite. J'ai l'impression qu'hier encore...

Yesterday..., se mit à fredonner mon père.

Peut-être devrais-je me réfugier et me cacher dans ma chambre... jusqu'à mes dix-huit ans.

Au lieu de quoi, je m'accrochai au peu de dignité qu'il me restait.

— Si vous avez fini de me mettre mal à l'aise, je pense que nous allons y aller.

— Voilà, Ryan, dis-je une fois libre, maintenant tu comprends pourquoi je cherche des facs en Europe !

Ryan rit et secoua la tête.

— Les parents estiment à mon avis qu'il est de leur droit d'humilier leurs enfants. C'est sûrement un moyen de se venger de leurs propres parents. Je suis sûr que tu en feras autant.

Eh bien, une chose était sûre : au moins, je donnerais à mes enfants des prénoms normaux.

En arrivant à la voiture, Ryan m'ouvrit la portière passager. Ce geste entrait assurément dans la catégorie « rendez-vous amoureux ».

— De plus, ajouta Ryan en s'installant au volant, tes parents ne disent que la vérité. Tu es magnifique ce soir.

Quand il démarra, mon esprit était en proie à la plus grande confusion.

Quelqu'un peut-il m'expliquer ce qui se passe ?

Durant tout le trajet, nous passâmes en revue les potins habituels sur l'école et les professeurs, mais une idée me hantait : *Ryan Bauer me trouve magnifique. Ryan Bauer me trouve magnifique.*

Ou bien s'était-il seulement montré poli ?

Je le regardai étudier le menu du restaurant. Ses cheveux noirs étaient encore légèrement humides, sans doute un effet de la douche qu'il avait dû prendre après l'entraînement. Il leva les yeux et me surprit en train de l'observer.

— Tu as vu quelque chose qui te plaisait ?

Tu n'as pas idée.

J'hésitais. Que choisir ? Rita commandait toujours une salade lors de ses premiers rendez-vous, mais ce n'en était pas un. Ryan s'attendait-il à ce que je mange léger ? Mais je mourais de faim !

— Qu'est-ce que tu veux, ma petite ?

Notre serveuse d'âge mûr me sourit d'un air encourageant, sentant probablement que je vivais... ce que je vivais.

J'optai pour un club sandwich avec des frites et un soda. Je détestais les salades et refusais qu'une fille renie sa personnalité pour un garçon, même pour un ami. Inutile de prétendre être quelqu'un d'autre.

Même si j'espérais que Ryan choisirait un menu du même acabit.

— Et pour vous ?

La serveuse, visiblement impressionnée, observa Ryan de haut en bas.

La majorité des filles seraient sans doute agacées qu'une femme reluque ainsi leur rendez-vous ou, dans ce cas, leur *pseudo*-rendez-vous, mais il me semblait que c'était un compliment. D'autant qu'elle avait bien vingt ans de plus que nous.

— Je prendrai la salade verte...

Ma tête se mit à battre. *Non, non, non, pour l'amour des bonnes choses, tu ne peux pas commander une salade ! Tu es un mec de seize ans !*

— ... avec la sauce blanche pour commencer, puis un double cheeseburger, des frites et la glace au chocolat.

Ça, c'est mon brave garçon.

Enfin, pas tout à fait *mon* brave garçon.

— Bon, Penny, je suis un peu surpris que tu aies accepté de venir avec moi ce soir.

— Pourquoi dis-tu cela ?

— Je ne sais pas... Pour être honnête, j'avais un peu peur que ton groupe de filles ne me cassent le cou quand elles découvriraient que nous faisons quelque chose ensemble.

— Tu sais, les trucs que Todd dit à propos du Club ne sont pas tous vrais.

Mes joues étaient de plus en plus brûlantes.

— Je sais…

Il se mit à jouer avec sa paille.

— Je suppose que je ne sais pas toujours sur quel pied danser. Mais cela n'a pas d'importance, puisque tu es là avec moi ce soir.

Je le fixai en silence, incertaine de la suite des événements.

— Enfin, j'attendais cette soirée avec impatience.

Il leva les yeux et me sourit.

Moi aussi, pensai-je. *Un peu trop peut-être.*

Quelques secondes de silence s'installèrent entre nous. J'eus le plus grand mal à me détacher de son regard.

— Enfin, bon…

Ryan détourna les yeux et fit courir sa main dans ses cheveux.

— Euh, j'espère que tu ne m'en voudras pas de te dire ça, mais je ne connais pas bien les Beatles. Seulement quelques chansons.

— Quoi ? Tu n'es pas sérieux ! criai-je presque, oubliant que nous étions dans un restaurant.

— Waouh ! Désolé ! Voilà en partie pourquoi je voulais y aller : pour voir pourquoi on en fait toute une histoire.

Pourquoi on en fait toute une histoire ?

C'était amusant de découvrir que Ryan avait une faille – et pas des moindres !

— Les Beatles sont juste le plus grand groupe de tous les temps. Ils…, ils…

J'enfouis ma tête dans mes mains.

— Quoi ?

— Rien. Je commence à me faire penser à mes parents et c'est très, très flippant !

— Hé ! allez…

Ryan me prit le menton et m'obligea à relever la tête.

— Je trouve ça mignon.

— Ouais, mignon tout plein, comme un petit chien ivre…

Il secoua la tête sans lâcher mon menton.

— Non, je veux dire mignon dans le sens complètement irrésistible.

Son sourire disparut à mesure qu'il se penchait vers moi… lentement…

— Lequel de vous deux a commandé la salade ?

Ryan se recula à l'arrivée de nos assiettes. Je baissai les yeux sur mon plat et m'efforçai de recouvrer mes esprits. Le regard de Ryan était rivé sur moi, je le sentais.

Il était sur le point de…

Soudain, la soirée de samedi dernier avec Rosanna me revint en mémoire. Et s'il… Le Club des cœurs solitaires serait anéanti.

Mais je disais n'importe quoi. Ryan s'était seulement penché… Il se montrait prévenant, voilà tout. Il avait toujours été prévenant. A l'évidence, je me trompais sur ses intentions.

Je piochai une frite, regrettant de ne pouvoir m'échapper pour appeler Rita avec mon téléphone portable.

C'était un cas d'urgence.

♥♥♥

— Tu n'es pas sérieux !

Ryan leva les yeux au ciel.

— Laisse tomber !

Il me tendit mon billet tout en m'entraînant à l'intérieur du Civic Center.

Je remarquai que l'enveloppe contenant les billets était adressée à Ryan, et non à sa mère ou son beau-père, qui étaient censés les avoir achetés.

Un frisson parcourut mon échine quand Ryan posa la main au creux de mes reins pour me guider vers nos sièges.

— Très bien, fais le difficile, dis-je en m'asseyant, bras croisés.

Ryan éclata de rire.

— Oh ! c'est *moi* qui fais le difficile, hein ? Sérieusement, Penny, je ne te savais pas aussi entêtée.

— Bien sûr, je suis une vraie tête de mule, répondis-je sans ciller. De plus, c'est moi qui suis totalement déraisonnable.

Ryan passa son bras sur mon siège et se pencha vers moi.

— Oh ! vraiment ?

Sa voix trahissait son amusement.

— Je suis persuadé que tu ne trouverais pas une seule personne dans cette salle pour te donner raison.

Je m'enfonçai dans mon siège et poussai un soupir exagéré.

— Tu ne me crois pas ? D'accord…, dit-il d'un air de défi.

Puis il scruta la foule des gens plus âgés venus assister au concert.

— Excusez-moi, mademoiselle ? dit-il en tapotant l'épaule d'une femme assise devant nous.

— Qu'est-ce que tu fais ? demandai-je, éberluée.

Il se tourna vers moi.

— Je vérifie ma théorie.

Une femme d'une cinquantaine d'années – avec un tee-shirt des Beatles, bien sûr – se retourna et parut surprise de voir un garçon comme Ryan parmi les baby-boomers.

— Désolé de vous déranger, madame, dit Ryan en adressant son plus beau sourire à la femme, qui ne semblait pas du tout importunée, bien au contraire. Je me demandais si vous pouviez m'aider à régler le petit différend que j'ai avec ma copine.

Vient-il de dire *ma copine* ?

Il poursuivit.

— Voyez-vous, j'aime à croire que la galanterie n'est pas totalement disparue et j'essaie d'être un parfait gentleman ce soir.

La femme hocha la tête d'un air enthousiaste. Il était évident qu'il allait remporter cette manche haut la main.

— Seulement, il semble que j'aie blessé cette magnifique jeune fille assise à côté de moi, qui porte le nom d'une chanson des Beatles.

Ryan se rapprocha de moi et je fis l'effort de sourire et de faire un petit signe à la charmante dame au lieu de frapper mon gentleman de compagnon.

— Pour être honnête, je pense qu'elle est injuste envers moi. Comme je l'ai invitée à sortir ce soir, il me semble normal que je paye nos consommations, mais cette jeune personne ne se montre pas coopérative.

Ryan m'adressa un clin d'œil. Je me décalai pour lui asséner un coup de talon sur le pied gauche.

Ouch !

Il écarta sa jambe et s'éclaircit la gorge.

— D'après vous, ne devrait-elle pas simplement me remercier au lieu de me jeter mon argent à la figure ?

La femme tapota le genou de Ryan.

— Bien sûr, c'est adorable de votre part. Je peux vous dire que vous êtes un charmant petit ami.

J'ouvris la bouche pour protester, mais Ryan leva les yeux, un immense sourire aux lèvres.

— Eh bien, merci, madame !

La femme rougit légèrement, visiblement ravie de l'attention que Ryan lui portait. Puis elle se pencha vers lui.

— Premier rendez-vous ?

Je retins mon souffle.

Il sourit.

— Oui. Quelles chances, d'après vous, ai-je de décrocher un second rendez-vous si je la laisse payer ?

L'obscurité me happa tout entière. L'espace d'un court instant, je crus avoir une attaque.

Je ne cessais de cligner des yeux, mais les ténèbres demeuraient. Puis mes oreilles furent vrillées de cris et mon pouls s'accéléra. Une punition appropriée pour avoir accepté un rendez-vous amoureux.

Les lumières explosèrent quand quatre types vêtus de costumes noirs montèrent sur scène.

Le concert. Je secouai la tête en m'efforçant de me reconnecter au présent. Ryan se leva avec le reste de la foule quand les faux Beatles entamèrent *I Want to Hold Your Hand*. Je dus m'appuyer à l'accoudoir pour réussir à me lever à mon tour – je nageais en pleine confusion.

Je regardai Ryan, qui me sourit et me passa doucement le bras autour de la taille.

J'ai un rendez-vous amoureux avec Ryan Bauer.

Mon estomac fit un saut périlleux, mon souffle se fit plus court.

Bon sang ! J'ai un rendez-vous amoureux avec Ryan Bauer. Je ne suis pas censée avoir des rendez-vous amoureux !

En plus, j'avais déclaré devant le Club des cœurs solitaires tout entier que je n'allais pas à un rendez-vous.

Je tâchai de me concentrer sur la musique. Les paroles de chacune des chansons raviaient des souvenirs – bons ou mauvais – encore et encore.

D'accord, Penny, tu peux y arriver.

Les lumières se tamisèrent quand la guitare entama son solo, et mon cœur bondit dans ma poitrine.

Les larmes inondèrent mes yeux et je les repoussai avec l'énergie du désespoir.

J'essayais d'étouffer la petite voix dans ma tête, mais c'était impossible. Ce que je faisais était mal, mal, mal. Toute cette situation était mal.

Et bien sûr, c'étaient John, Paul, George et Ringo – même des faux – qui mettaient les choses en perspective.

Je me mis à onduler en rythme et fermai les yeux. Puis je fredonnai les paroles qui évoquaient le manque d'espoir, le désir ardent, la folie de l'amour.

En résumé, tous les sentiments qui m'agitaient à cet instant précis.

J'étais une affreuse hypocrite. Même si j'avais dit à tout le monde que ce n'était pas un rendez-vous galant, une grande part de moi l'avait follement espéré.

Ce n'était que maintenant que je m'en rendais compte.

C'était naturel après tout. Ryan s'était toujours montré charmant avec moi. C'était un mec bien.

Mais je pensais la même chose de Nate ! Nate était gentil avec moi, c'était un mec bien.

Puis il m'a menti et il a brisé mon cœur.

Je m'étais fait la promesse de ne jamais laisser une chose pareille se reproduire.

Le Dernier des Imbéciles.

C'était comme ça que Nate s'était lui-même surnommé.

Je ne voulais pas être la Dernière des Imbéciles.

Même si j'avais envie de croire de toutes mes forces que les choses seraient différentes avec Ryan, c'était faux. Pas question de tomber dans le piège une seconde fois. Terminé.

Quand la chanson s'acheva, je savais ce que j'avais à faire. Je devais en finir – avec le flirt, l'attente, avec tout ça. Ce n'était pas seulement pour moi, mais pour le bien du groupe.

Combats la musique, Penny. Tu dois étouffer ton amour. Tu ne peux pas simplement cacher tes sentiments. Tu dois les détruire. Les tuer avant qu'ils ne te tuent.

La lumière revint, et Ryan me regarda d'un air enchanté.

— C'était génial… Enfin, je ne sais pas si je dois dire ça à tes parents, hein ?

Je lui adressai un bref sourire et pris la direction de la sortie. Je demeurais silencieuse durant le trajet de retour, répondant seulement aux questions de Ryan sur les Beatles.

Quand il tourna au coin de ma maison, je réfléchis à une stratégie de sortie rapide me garantissant qu'il n'y aurait pas de second rendez-vous.

Me connaissant, ce ne serait pas brillant.

Il se gara dans l'allée.

— Je suis vraiment heureux que tu sois venue avec moi ce soir, Penny. J'ai passé un très bon moment.

Je me ruai hors de la voiture avant même qu'il ait coupé le moteur. Puis je me retournai vers lui et vis son air décomposé.

— Euh, merci. Salut.

Je claquai la portière et courus chez moi, pressée de rentrer avant de fondre en larmes.

Je fais le bon choix.

Voilà ce que je ne cessais de me répéter.

25

— Alors, comment s'est passée la soirée ? demanda Tracy quand je montai dans sa voiture le lendemain matin.

Horrible.

— Le concert était bien…, répondis-je en fouillant mon sac sans trop savoir pourquoi.

— Ryan t'a sauté dessus ?

Je fixai Tracy comme si elle avait perdu l'esprit.

— Hé ! Je ne lui en voudrais pas d'avoir essayé. Tu es canon !

J'ignorai sa remarque et continuai à fouiller mon sac.

— Oh ! Pen, je te taquine, c'est tout. Ryan est un mec cool. S'il y a un mec pour qui tu peux enfreindre les règles, c'est bien lui.

Mon sac dégringola par terre.

— Merde ! Désolée.

Je rassemblai maladroitement mes livres et mes stylos.

— Ça va ?

Non, pas du tout.

— Yep.

Diane nous attendait à l'entrée du lycée.

— Hé ! Penny ! Comment s'est passée la soirée ?

— Bien.

Diane parut déconcertée.

— C'était *bien* ?

Je me remis à fouiller dans mon sac.

— Oh ! c'était sympa. Le groupe était super. Bien sûr, ils n'ont pas joué toutes les chansons que j'espérais entendre, mais ce sont les Beatles, après tout. Ils ont chanté tellement de classiques… Vous saviez qu'ils avaient écrit plus de singles que n'importe quel autre artiste ?

Tracy se contenta de secouer la tête. Evidemment, elle avait l'habitude de m'entendre pérorer sur les Beatles. Diane voulut dire quelque chose, mais je continuais à bavasser à propos de l'histoire du groupe mythique. Tracy se dirigea vers son casier, mais Diane continua à me suivre.

— Penny, dit-elle en posant sa main sur mon bras, sans doute pour calmer mes nerfs. Si tu veux me parler de quelque chose…

— Oh ! j'ai oublié un truc ! Je dois y aller !

Je m'éloignai vivement des casiers pour me diriger vers ma salle de classe. Tout pour éviter d'avoir une conversation avec Diane à propos de Ryan.

La journée allait être longue.

— Ça ne te dérange pas de pratiquer l'incision ? J'ai super mal à la main.

Tyson faisait pivoter son poignet en grimaçant.

— Bien sûr, lui dis-je en lui prenant le scalpel. Qu'est-ce qui t'est arrivé ?

— Oh ! j'ai seulement trop répété, j'imagine.

Il avait l'air un peu inquiet.

— Tu as un spectacle bientôt ?

— On peut dire ça, répondit-il en baissant les yeux.

Comme je ne disais rien, il me regarda de nouveau.

— J'ai une audition.

Mais il avait déjà un groupe. Peut-être voulait-il intégrer un groupe plus important ?

— Une audition pour quoi ?

— Julliard.

Il baissa de nouveau les yeux.

— Julliard ? *La* Julliard ? dis-je d'une voix qui grimpa dans les aigus. La fameuse école de musique ?

Son visage devint rouge tomate quand il hocha la tête. Il regarda autour de lui, espérant que personne ne m'avait entendue.

— Ouais, je crois que j'ai trop répété. Je ne voudrais pas tout ficher en l'air.

J'étais sous le choc. Julliard était probablement la plus prestigieuse école de musique du pays.

— Qu'est-ce que tu vas jouer ?

C'était fascinant. Chaque fois que je pensais l'avoir percé à jour, Tyson me prenait totalement de court.

Exactement comme Ryan, ce qui était une merveilleuse surprise. Mais une petite voix s'insinua dans mon esprit. *Nate aussi t'a surprise. Et cela se passait merveilleusement bien au début, non ?*

— Eh bien, d'abord je vais jouer *La Sonate en do mineur* de Beethoven, puis une composition originale à la guitare.

— Tu joues du piano ?

Il hocha la tête.

— Depuis l'âge de quatre ans.

Mon choc se transforma en pure admiration.

— Franchement, Penny, tu penses vraiment que je suis le dernier des losers ?

Je ne voyais pas du tout Tyson comme un loser. Au contraire, je trouvais que c'était un mec bien.

Oui, un mec bien – je pensais que cette expression était un oxymore, mais peut-être que je me trompais… à propos de Tyson.

Tyson n'était pas Nate.

Tyson n'était pas Ryan.

J'avais l'intuition qu'il serait super avec Morgan. Et Morgan méritait un mec bien.

Je le dévisageai.

— Tu devrais demander à Morgan de sortir avec toi.

— Quoi ?

J'insistai.

— Je crois que tu devrais proposer à Morgan de sortir avec toi.

— Mais… je croyais…

— Oublie le Club des cœurs solitaires. Je m'en charge.

Une expression de pure panique se peignit sur son visage.

— Mais comment savoir si elle va dire oui ?

— Elle dira oui parce qu'elle t'aime bien. Et ce, depuis un bon moment.

Le sourire de Tyson était si éclatant que je crus qu'il allait bondir de joie.

— D'accord, je vais le faire. Mais après l'audition. Je suis suffisamment nerveux comme ça.

— Super !

Au moins, l'une des filles du Club aurait ce qu'elle désirait.

Hé ! je crois que j'ai fait une bêtise, confessai-je à Tracy après le déjeuner.

— Tu as embrassé Ryan ? demanda-t-elle en sautillant sur place.

— Non... Quoi ? Ça n'a rien à voir avec Ryan.

Je lui racontai tout à propos de Tyson et Morgan. Tracy hochait la tête au fur et à mesure qu'elle réfléchissait à la situation.

— Je ne vois pas pourquoi Morgan ne pourrait pas sortir avec lui, continuai-je. Tant qu'elle participe aux réunions du samedi soir et qu'elle déjeune avec nous, où est le problème ? A la minute où elle perd son identité, on pourra la récupérer.

— Tu te rends compte que ça change tout à propos du Club ?

J'acquiesçai.

— Je sais, mais on pourrait en discuter tranquillement samedi.

Je marchais de long en large, me disant pour la première fois de mon existence de lycéenne que sécher les cours serait sans doute la meilleure option. Jusqu'ici, j'avais réussi à éviter Ryan, mais cela n'allait pas durer. Quand je pénétrai dans la salle du cours d'histoire du monde, je le repérai du coin de l'œil. Aussitôt, je me précipitai sur Jackie Memmott, assise deux rangs derrière nous, et commençai à lui parler du Club.

Je fis semblant d'être en grande conversation avec elle, mais je voyais bien que Ryan était penché du côté droit de son bureau, vers ma propre table.

— Mademoiselle Bloom, pouvons-nous commencer le cours ? demanda Mlle Barnes en pianotant impatiemment sur son bureau.

D'accord, peut-être que je n'étais pas très pressée de me rendre à ma place. Je gagnai mon pupitre à contrecœur et adressai à Ryan un faible sourire en m'asseyant. Il ne me restait plus qu'à me concentrer sur le cours, à prendre des notes et à me plonger dans mes réflexions. Rien ne me distrairait. Je vis Ryan griffonner quelque chose sur son calepin. Il n'avait pas l'air d'avoir de problèmes de concentration, lui.

Il me tapota le bras gauche, ce qui faillit me faire bondir de mon siège. Ryan pencha son calepin de manière à ce que je puisse voir ce qu'il avait inscrit dessus. Je fis mine de l'ignorer, mais il poussa tellement son calepin qu'il finit pratiquement sur mes genoux.

Tout va bien ?

Je hochai la tête en regardant droit devant moi.

Il se remit à griffonner quelque chose, tandis que Mlle Barnes évoquait d'une voix monocorde les ramifications financières de la Deuxième Guerre mondiale.

Ryan me tapota de nouveau le bras.

J'ai passé une bonne soirée hier.

Un sourire passa fugitivement sur mon visage au souvenir des bons moments partagés avec Ryan. Son visage s'éclaira et il se recula sur son siège, visiblement satisfait de ma réaction.

Pourquoi avais-je souri ? Et pourquoi me rendait-il les choses si pénibles ? Effacer Ryan Bauer de mon esprit serait plus difficile que je ne le croyais.

Quand la sonnerie retentit, je bondis de ma chaise et me précipitai vers la sortie.

Soudain, quelque chose me tira vers l'arrière, me faisant perdre l'équilibre. Je m'effondrai sur le sol carrelé froid et dur. Alors que j'essayais encore de comprendre ce qui s'était passé, une petite troupe s'était rassemblée autour de moi.

Je me remis sur pied et dégageai la bandoulière de mon sac qui s'était prise dans une chaise.

— Waouh ! Penny, est-ce que ça va ? demanda Ryan en accourant.

— Je vais bien.

Le ton était plus sec que je ne l'aurais voulu, mais peut-être était-ce une bonne chose. Il fit mine de m'aider à me relever, mais je repoussai son bras.

— Je vais bien, je suis juste un peu pressée…

— Ouais, je vois ça.

Sa voix était glaciale. La situation ne l'amusait plus. Nous nous jaugeâmes en silence, puis le haut-parleur diffusa une annonce.

— *Penny Bloom, veillez vous présenter dans le bureau du principal. Penny Bloom…*

Je terminais de rassembler mes affaires quand Todd vint mettre son grain de sel.

— Ooooh ! on dirait que mademoiselle Solitude a des ennuis.

— Tais-toi, Todd !

Ryan et moi avions dit la même chose en même temps. Ryan m'adressa un dernier regard meurtri avant de s'éloigner.

Je me dirigeai vers le bureau de Braddock en réfléchissant à ce que j'avais fait de travers. Mes parents, l'air inquiet, m'attendaient devant la porte du principal. Je courus les rejoindre.

26

— Qu'est-ce qui ne va pas ? demandai-je en me précipitant vers mes parents.

— A toi de nous le dire, répondit ma mère. Monsieur Braddock nous a appelés pour nous dire que c'était important. Ton père a dû annuler plusieurs rendez-vous pour être présent.

Je nageais en pleine confusion. Je fixai mes parents, incapable de dire s'ils étaient fâchés.

— Je ne sais pas.

Je n'avais pas triché, je n'étais jamais en retard. Mes notes, toujours bonnes, avaient même augmenté cette année…

La porte du principal s'ouvrit et M. Braddock s'avança pour nous inviter à entrer. Braddock était un homme robuste, de haute stature, au crâne chauve, qui avait l'air plutôt gentil, jusqu'à ce qu'il ouvre la bouche. Dans le bureau aux murs en faux lambris, couverts de cadres photographiques, de trophées et commémorations de sa gloire passée à McKinley, je sentis mon cœur s'accélérer.

Il s'adressa à mes parents.

— Je suis navré de vous avoir convoqués si rapidement, mais nous avons un problème avec Penny qui ne pouvait pas attendre. Je ne sais pas si vous êtes au courant du petit club que votre fille a fondé.

QUOI ?

— Bien sûr que nous sommes au courant, répondit mon père. Ses membres se réunissent tous les samedis soir chez nous. Sacrée bande de filles.

Le principal Braddock se tortilla dans son fauteuil.

— Hum, eh bien, cela cause quelques problèmes au lycée.

Vraiment ?

— Vraiment ? dit ma mère. Quel genre de problèmes ?

Le principal ajusta sa cravate.

— Ecoutez, je suis désolé que Penny ait du mal à trouver un petit ami…

— Je vous demande pardon ! protesta ma mère.

Braddock leva les mains.

— Toutes mes excuses, je voulais seulement dire que je ne trouve pas approprié que Penny impose ses idéaux au reste du corps étudiant féminin, surtout aux filles de première année, particulièrement impressionnables.

— Attendez, reprit ma mère, Penny Lane a créé un incroyable groupe d'amies. Elles n'ont d'autres projets que de passer du temps ensemble sans avoir à subir la pression des rendez-vous amoureux. Monsieur Braddock, vous savez combien ces amourettes de lycéens peuvent être compliquées. Je suis surprise que vous n'encouragiez pas tout ceci.

Je regardai ma mère et vis que ses joues étaient rouges. La discussion s'annonçait passionnante.

— Madame Bloom, je ne vais pas rester assis ici et permettre à une jeune fille de diriger l'école. Penny a pris trop de pouvoir au lycée. Son influence sur la population féminine est devenue presque incontrôlable.

Ma mère se mit à taper impatiemment du pied

— Et je suppose que vous n'avez aucun problème avec le fait que, uniquement parce qu'un garçon est capable de lancer une balle, la population masculine tout entière le vénère ? Laissez-moi vous poser une question, monsieur Braddock. Les membres du club de Penny ont-ils posé le moindre problème jusqu'à présent ?

— Eh bien, techniquement, non. Mais son petit club n'est pas homologué par le lycée, donc...

— Donc, coupa ma mère, cela ne vous concerne pas du tout.

Le principal Braddock s'éclaircit la gorge.

— Donc, vous comprenez le problème..., à savoir qu'un projet non homologué par le lycée ne devrait pas être encouragé par l'école. Je ne peux pas permettre à ce club de subsister.

Ma mère croisa les jambes.

— Excusez-moi, monsieur Braddock, mais les notes de Penny Lane ont-elles chuté ?

— Non...

— En fait, elles se sont améliorées au trimestre dernier, n'est-ce pas ?

Il commença à feuilleter son fin dossier.

— Je suppose.

— Donc, Penny Lane n'a rien fait de mal, le Club n'affecte pas ses notes, et ses membres se réunissent en dehors du lycée. Juste ?

— Techniquement...

— Eh bien, alors, je ne vois pas où est le problème.

— Le problème, madame Bloom – le visage de M. Braddock semblait sur le point d'exploser –, c'est qu'après la parution de cet article dans le *Monitor*, un grand nombre de garçons du lycée se sont plaints. Pas seulement cela, mais j'ai reçu des rapports troublants de la part du Comité étudiant.

Attendez, Ryan n'oserait pas...

— Il ne s'est encore rien passé, mais ça ne veut pas dire que ça va durer. Et alors, il y aura des troubles. Oui, des TROUBLES.

Ma mère se leva.

— Eh bien, je n'en ai vraiment rien à FO...

— Becky !

Mon père ouvrit enfin la bouche. Il se leva et posa la main sur mon épaule. M. Braddock se relaxa aussitôt, espérant probablement que mon père allait abonder dans son sens.

— Merci, docteur Bloom.

— Penny Lane, dit mon père, allons-y. Et, monsieur Braddock, je suis certain que vous comprendrez que nous emmenons Penny Lane, car il serait très injuste pour elle de rester ici après la façon insultante dont vous l'avez traitée.

Mon père s'empara de son manteau. Je le regardai sans mot dire.

— Et, monsieur Braddock, en tant que parents de Penny, nous encourageons ce que vous appelez son *petit club*. Ce qu'elle fait est formidable et vous devriez afficher sa photo au mur au lieu de la vampiriser. Nous ne pourrions pas être plus fiers d'elle.

Papa m'étreignit et m'embrassa sur le front.

— Allons-y, Pen. Prends tes affaires.

27

L a rumeur de mon départ précipité de l'école se répandit comme une traînée de poudre au lycée. Les non-membres du club pensaient que j'avais été expulsée. Todd raconta même à tout le monde que la police m'avait escortée jusqu'à la sortie. Bien sûr, j'envoyai un texto à Tracy et Diane pour rétablir la vérité, et elles firent passer le message au reste du Club des cœurs solitaires. Toutes me considéraient comme une héroïne.

Lors de la réunion suivante, tous les membres étaient extatiques. Comme si la condamnation du Club par Braddock avait en quelque sorte validé notre existence. Etait-ce vraiment le moment de faire une annonce ? Tracy et Diane me rejoignirent pour faire face au groupe. Je parcourus la pièce du regard. Morgan rougit. Elle avait été folle de joie en apprenant que Tyson l'appréciait, mais par chance elle ne voulait pas abandonner le Club.

— Très bien, je voudrais que tout le monde écoute ce que j'ai à dire avant de tirer des conclusions hâtives, dis-je en regardant ostensiblement Rosanna. J'ai fondé ce club parce que les garçons me rendaient malade. Mais à mesure que le Club grandit, je me rends compte que nous nous concentrons avant tout sur nous-mêmes et nous le faisons très bien. Par conséquent, maintenant je pense que notre objectif ne devrait pas être de ne *jamais* sortir avec des garçons, mais plutôt de rester de vraies amies. Donc, si l'une d'entre vous veut aller…

— Je le savais ! s'écria Rosanna en bondissant de son siège. Tu veux sortir avec Ryan ! ajouta-t-elle en pointant sur moi un doigt accusateur, comme si j'étais le pire des félons.

— Si tu voulais bien écouter ce que…

— Oh ! c'est parfait. Quel beau leader tu fais !

Toutes les filles fixaient Rosanna.

— Ce n'est pas de moi qu'il s'agit, protestai-je.

— Oh ! vraiment ? dit-elle en roulant théâtralement les yeux. Comme il est opportun que tu décides de modifier les règles juste après ton rendez-vous avec le mec le plus sexy du lycée.

La jalousie perçait dans sa voix.

— Peut-être qu'on ne devrait pas l'appeler le Club des cœurs solitaires, reprit-elle, mais le Club dont les règles changent selon les désirs de Penny.

— Oh ! la ferme maintenant ! explosa Tracy. Pose ton petit cul sur cette chaise et écoute ce que Penny a à dire ou bien va au diable ! Je peux te dire qu'on ne versera aucune larme sur ton départ.

C'était bon de retrouver la bonne vieille Tracy. Rosanna se rassit comme une gamine de six ans à qui on venait de dire qu'elle n'aurait pas de poney pour Noël.

— Merci, Tracy, dis-je.

— Je t'en prie, ô divin leader, répondit Tracy avec un sourire.

— Donc, il ne s'agit pas de moi, mais de Morgan.

Tous les regards se tournèrent vers Morgan, qui se recroquevilla sur elle-même, au comble de l'embarras.

— Je suis désolée, Morgan, mais tout le monde finira par le découvrir. Voyez-vous, le garçon pour qui Morgan a le béguin depuis des années l'apprécie aussi. Or, Tyson est vraiment un mec super, probablement l'un des plus intéressants de McKinley ; alors, je ne voudrais pas être responsable d'une occasion manquée... Donc, Tracy, Diane et moi avons discuté avec Morgan et nous sommes tombées d'accord : tant qu'elle assiste aux réunions du samedi soir, aux événements de groupe et reste la Morgan que nous adorons, je ne vois aucune raison de ne pas lui donner sa chance.

Morgan se leva.

— Considérez-moi comme votre cobaye. Mais c'est peut-être un peu prématuré, étant donné qu'il ne m'a pas encore demandé de sortir avec lui...

Il a plutôt intérêt, pensai-je. Tyson n'avait aucune idée des ennuis qu'il me causait. Je m'avançai vers Morgan et posai la main sur son épaule.

— Et pour une fois, je serais heureuse d'entendre les détails de ton rendez-vous à notre prochaine réunion.

Rosanna se mit à rire.

— Tu te moques de nous. Et si tu nous parlais de *ton* rencard maintenant ?

Voilà. Rosanna avait encore frappé.

— Laissez-moi mettre les points sur les i à ce propos, déclarai-je, tremblante de colère. Je ne m'intéresse *absolument pas* à Ryan Bauer et je ne le ferai jamais. Donc, que ce soit bien clair pour tout le monde : je ne sortirai jamais, *jamais*, avec Ryan.

La salle demeura silencieuse. Tracy et Diane affichaient des expressions horrifiées.

Qu'avais-je fait ?

28

Si j'appréciais les règles édictées par Tracy pour le Club, il me semblait qu'elle en avait oublié une très importante. Ce qui se passe dans le Club des cœurs solitaires *ne doit pas sortir* du Club des cœurs solitaires.

Cela semblait une évidence.

Si vous ne pouvez pas faire confiance aux membres de votre club, à qui se fier alors ?

Mais c'était sans compter sur la messagère infernale.

Tracy, Diane et moi venions d'arriver au lycée, en ce lundi matin, et nous discutions de Morgan et Tyson. Nous espérions que l'audition de Tyson s'était bien passée et qu'il allait bien demander à Morgan de sortir avec lui. Nous passions juste le coin quand le visage de Diane se figea.

— Oh non ! dit-elle.

Tracy et moi suivîmes son regard : Rosanna parlait à Ryan près des casiers et affichait un petit air suffisant.

Cela ne me disait rien qui vaille.

Diane pressa le pas et Ryan repéra rapidement notre petit trio.

Il m'adressa un regard blessé avant de claquer la porte de son casier et de s'éloigner.

— Laisse-moi lui parler, dit Diane en lui courant après.

Je voyais bien que Tracy était prête à fondre sur Rosanna, mais elle s'arrêta net en voyant l'expression paniquée de mon visage.

— Ça va aller, Penny. C'est une garce.

Prise d'un engourdissement, je hochai lentement la tête.

— Cette fois, elle ne fait plus partie du Club, martela Tracy. Je vais le lui dire.

Tracy se dirigea vers mon casier et l'ouvrit pour moi. J'étais incapable de la moindre réaction.

— Non, je le lui dirai, dis-je enfin. Au déjeuner.

Les mots me manquaient.

— Très bien, répondit mon amie en me tendant mes livres. Tu as besoin d'autre chose ?

Oui, j'avais besoin de savoir pourquoi, si je n'avais aucun sentiment pour Ryan, je me sentais aussi mal.

Diane me mit au parfum avant le déjeuner.

— En gros, Rosanna a dit à Ryan que tu as déclaré devant tous les membres du Club que tu le trouvais pathétique, que tu ne le considérais même pas comme un ami et que tu ne sortirais jamais avec lui.

— Ce n'est pas du tout ce que j'ai dit ! protestai-je.

Du moins pas les deux premières parties.

— C'est ce que je lui ai répondu, mais il est vexé. Je crois qu'il n'apprécie pas que tu aies parlé de lui à toutes les filles.

— Bon, intervint Tracy. Calmons-nous, reprenons notre souffle.

Elle passa son bras autour de mes épaules et me regarda droit dans les yeux.

— Tu es sûre que tu veux faire cela maintenant ?

Je n'en revenais pas que, dans un moment comme celui-là, Tracy avait décidé d'incarner la voix de la raison. Même Diane la regardait comme si elle était folle. Bien sûr que je voulais le faire !

Tout de suite.

— Oui.

Diane et Tracy sur mes talons, je marchai d'un pas décidé vers la cafétéria, tel un soldat en route pour la bataille. En bout de table, Rosanna rebattait les oreilles des malheureuses Eileen et Annette. Elle sursauta légèrement quand je posai brutalement mes livres près d'elle. La tablée se tut brusquement.

— J'ai une annonce à faire.

Je fixai Rosanna, mais j'avais parlé suffisamment fort pour que tout le monde m'entende.

— Certaines personnes sont ici pour de mauvaises raisons. Certaines personnes ne sont pas ici pour l'amitié. Ce sont des manipulatrices, qui ne sauraient même pas se comporter en véritables amies, même si leur petite personne en dépendait. Elles ne sont là que pour soigner leur popularité. Eh bien, vous savez quoi ? J'ai été trop souvent manipulée dans ma vie pour laisser une chose pareille se reproduire. C'était déjà assez dur de se faire avoir par un garçon. Mais par une fille…, une prétendue amie…, c'est encore pire. Les manipulatrices ne sont pas les bienvenues dans le Club des cœurs solitaires…

Rosanna continuait à manger sa banane tout en regardant autour d'elle comme si elle ne se sentait pas du tout concernée.

— Apparemment, je ne me suis pas montrée assez claire.

Je me penchai pour la regarder droit dans les yeux.

— Rosanna Shaw, tu as abusé de moi, du Club, de notre confiance. Tu as utilisé une chose que j'ai confiée au Club, à un moment où je pensais être entourée d'amies, tu l'as déformée et transformée en un odieux mensonge. Tu n'es plus la bienvenue dans le Club, dans ma maison, à cette table. Tu saisis ?

Elle plissa les yeux.

— Tu as vraiment l'intention de me jeter dehors ?

— Je viens de le faire !

Ma voix grimpa dans les aigus.

— Dégage d'ici, petite vipère hypocrite !

— Bravo ! s'écria Tracy en battant des mains, aussitôt suivie par Diane, puis Morgan, Kara et Jen.

Bientôt, toute la tablée m'applaudit.

Rosanna se leva vivement et s'en alla. L'adrénaline enflamma tout mon corps au moment où je m'assis. J'examinai les visages heureux autour de moi. J'étais enchantée d'avoir retrouvé mon ancien club de partisanes.

Quand je me retournai, je me rendis compte que toute la cafétéria regardait dans notre direction.

Quelques tables se joignirent à nous pour célébrer le départ de Rosanna.

Je captai le regard de Ryan à l'autre bout de la pièce et lui adressai un sourire, mais il détourna les yeux.

Jamais la camaraderie au sein du Club n'avait été plus forte que cette semaine-là.

Nous étions plus solides, plus unies. Peut-être étaient-ce les menaces de Braddock, ou l'intrusion de Rosanna, toujours est-il que les adhérentes du Club s'étaient plus investies que jamais.

Nous étions venues en force pour soutenir les débuts de Diane en tant que membre de l'équipe de basketball de McKinley. Il ne restait que deux minutes de jeu, mais Diane n'était pas encore entrée sur le terrain.

— Le coach Ramsey devrait faire entrer Diane, se lamenta Tracy.

Je jetai régulièrement des coups d'œil au banc situé au-dessus des parents de Diane, où Ryan était assis.

Evidemment, Todd n'était pas venu encourager Diane, malgré les innombrables fois où elle avait joué les pom-pom girls pour son équipe. J'avais essayé de parler à Ryan depuis la débâcle avec Rosanna, mais il ne m'adressait même pas un regard.

Chaque fois que je l'approchais, il prenait la tangente. Il avait dû entendre la conversation de la cafétéria. Tout le monde ne parlait que de cela depuis quatre jours.

L'équipe des pom-pom girls juniors prit place sur le terrain. Elles ne montraient aucun enthousiasme pour le match, comme si encourager une équipe féminine était une punition.

— Bouh, c'est lamentable. Même moi je ferais mieux, maugréa Tracy tandis que les pom-pom girls demandaient d'un ton anémique au public si nous allions gagner.

La sonnerie retentit et les deux équipes retournèrent sur le terrain. Diane restait patiemment assise au bout du banc, les genoux tremblant de peur.

Jen envoya la balle du fond du terrain à Britney Stewart, sur qui un membre désespéré de l'équipe de Springfield vint commettre une faute. L'équipe adverse s'aligna sur la ligne de lancer franc et marqua aisément deux points supplémentaires.

— Oh ! allez, coach ! s'écria Tracy. Faites entrer Diane !

Les joueurs de McKinley foncèrent de l'autre côté du terrain. Jen récupéra le ballon après un tir manqué de Springfield et dribbla vers le panier adverse. Une immense brune se lança à sa poursuite et la poussa d'un habile coup de hanche.

Le sifflet retentit.

— C'est pas du jeu ! râla Tracy.

L'équipe se rassembla près du banc pour écouter les consignes de l'entraîneur.

Pendant que le coach donnait ses instructions, Diane leva les yeux d'un air d'espoir, puis, ô surprise, quitta sa place pour entrer sur le terrain.

Le Club tout entier se leva et l'encouragea en brandissant des pancartes et en répétant son prénom à l'unisson.

Le regard de Diane s'étrécit en voyant Jen rater deux lancers francs. Puis, quand l'action reprit, elle courut à toutes jambes jusqu'au bout du terrain.

Elle garda les jambes pliées et observa l'arrière s'approcher. Diane ne lâcha pas la joueuse d'une semelle, le regard rivé sur son torse, une astuce que Ryan lui avait apprise.

Le ballon fut lancé à une grande blonde qui rata le panier. Jen récupéra le ballon et le lança à Diane.

Elle traversa tout le terrain en dribblant, toute son attention étant concentrée sur le panier en face d'elle.

— Vas-y, Diane !

Tracy et moi avions crié en chœur. Tracy agrippa ma main quand Diane s'approcha du panneau, porta le ballon et… manqua le panier.

— C'est pas grave, Diane ! cria Kara à côté de moi.

Nous applaudissions encore quand Springfield demanda un nouveau temps mort.

— Est-ce que tu arrives à le croire ?

Tracy descendit les gradins pour observer le banc où les pom-pom girls avaient décidé de faire une pause.

— Elles ont laissé tomber à la seconde où Diane est entrée sur le terrain.

Toute la troupe était assise au premier rang. Missy écrivait un texto sur son téléphone portable, pendant que le reste de la bande faisait de son mieux pour ignorer le match.

— Oh ! elles me rendent folles ! maugréa Tracy. Il y a quelques semaines, toutes ces filles baisaient les pieds de Diane et, aujourd'hui, elles ne soutiennent même pas son équipe… C'est leur boulot pourtant !

Je hochai la tête, agacée par la vacuité de ces filles.

— Bon, j'ai compris ! lança Tracy en se levant.

— Tracy, ne fais pas de…

Avant que j'aie terminé ma phrase, Tracy grimpa sur notre banc, se tourna vers la foule des spectateurs derrière nous et cria à pleins poumons :

— DONNEZ-MOI UN D !

Notre groupe garda le silence tandis que tout le monde fixait Tracy.

Elle avait l'air exaspérée.

— Allez ! Un peu de nerfs ! J'ai dit : DONNEZ-MOI UN D !

Oh ! mon Dieu. Tracy… joue les pom-pom girls ?

— D ! s'écrièrent en chœur Morgan, Kara et Amy.

— DONNEZ-MOI UN I ! continua Tracy.

— I ! se mit à rugir le Club des cœurs solitaires.

— C'est mieux ! DONNEZ-MOI UN A !

Tracy se mit à applaudir et tapa du pied.

Les pom-pom girls juste en dessous de nous se retournèrent, bouche bée, tandis que les gradins des supporters de McKinley donnaient à Tracy un N !

— DONNEZ-MOI UN E !

Le gymnase lui fit écho avec un puissant E !

— Qu'est-ce que ça donne ? cria Tracy en descendant au pied des gradins.

— DIANE !

Elle occupait à présent l'espace où la troupe des pom-pom girls se trouvait quelques instants auparavant.

— JE NE VOUS ENTENDS PAS ! hurla-t-elle en plaçant sa main en coupe sur son oreille.

— DIANE ! répéta la foule en délire.

La sirène retentit et tout le monde bondit sur ses pieds pour encourager l'équipe. Tracy regarda Missy et sa clique et leur adressa un petit sourire suffisant pour leur faire comprendre que ce n'était plus elles qui contrôlaient la foule.

Diane retourna sur le terrain avec une détermination sans précédent. Il ne restait plus que quinze secondes avant la fin du match. Springfield prit possession du ballon et l'arrière progressa vers le panier. Leur équipe allait perdre si elle nous laissait marquer d'autres points.

— DIX…

La foule se mit à scander le décompte des dix dernières secondes.

Le regard de Diane se riva sur la joueuse à l'approche.

— NEUF…

Elle progressa vers elle en louvoyant de gauche à droite.

— HUIT…

L'adversaire tenta de s'esquiver sur la gauche, mais c'était trop tard.

— SEPT…

Diane lui subtilisa le ballon et dribla en piquant un sprint vers le panier adverse…

— SIX…

… pendant que l'équipe tout entière de Springfield se lançait à sa poursuite.

— CINQ…

Diane se concentra sur le panier devant elle et…

— QUATRE…

… fit un double pas, sauta et porta la balle au panier. Le ballon rebondit au-dessus du cercle et frappa la planche de bois…

— DEUX…

… pour retomber tout droit dans le panier !

Le hurlement de la sirène fut couvert par les cris et les clameurs de la foule. Diane fut submergée par ses coéquipières. Les pom-pom girls quittèrent le gymnase avec des expressions de dégoût. Le camp de Springfield était manifestement interloqué par la célébration qui se produisait sous ses yeux.

Je repensai à la Diane éteinte qui avait pris place face à moi au restaurant, environ deux mois auparavant. Je regardai les autres membres du Club autour de moi, pour qui Diane était une véritable source d'inspiration. Elle venait de nous prouver que tout était possible.

29

La corrélation entre la fin de mon amitié avec Ryan et la montée en puissance du Club ne m'avait pas échappée.

Chaque fois que le Club faisait un pas en avant (le triomphe de Diane au basket la veille au soir), Ryan et moi reculions d'un pas (il ne vint pas une seule fois à son casier ce jour-là).

Certes, c'était déstabilisant, mais j'avais un autre problème de taille à régler.

Nate.

Un nouvel e-mail m'attendait à mon retour à la maison. Celui-là s'intitulait :

Amis ?

Je m'assis et l'ouvris.

Pen,
J'ai beaucoup pensé à nous ces derniers temps.
En fait, tu occupes toutes mes pensées. Je sais
que je n'aurai pas de tes nouvelles. Je sais que tu
me détestes. Je sais que tu ne ressentiras jamais
pour moi ce que je ressens pour toi. Je le mérite.

Mais je dois absolument te poser une question, et je veux que tu y réfléchisses (si tu lis ce message) avant mon arrivée dans deux semaines. Crois-tu que nous pourrions au moins être amis ? J'ai besoin de toi dans mon existence.
Je ferai tout pour que tu reviennes dans ma vie.

Love,
L'Imbécile

Amis ? Il voulait que l'on soit amis ? Pouvais-je être amie avec Nate après tout ce qui s'était passé entre nous ?

Ryan et Diane étaient amis, mais Ryan ne l'avait pas trompée. Ryan était...

Je ne pouvais m'empêcher de me dire combien Ryan était génial. Mais comment être amie avec Ryan, puisqu'il ne daignait même pas m'adresser la parole ?

Peut-être que le mieux était de dire à Nate que nous pouvions être amis et passer à autre chose.

Mais je me mentais à moi-même en m'imaginant capable d'une chose pareille.

Après avoir ruminé cette idée pendant toute une semaine, je décidai de demander à Diane son avis autour d'un dîner.

— Comment peux-tu être amie avec Ryan ? lâchai-je brutalement avant même de passer la commande.

Diane était surprise.

— Il est dans ma vie depuis si longtemps...

— Tout comme Nate... dans la mienne, répliquai-je.

Son visage reflétait l'inquiétude.

— Oui, mais Ryan n'a jamais...

Je m'affaissai sur ma chaise.

— Que se passe-t-il ? demanda Diane en se mordillant la lèvre.

Je lui montrai les e-mails de Nate et lui expliquai son souhait.

Elle secoua la tête.

— Penny, tu veux être amie avec Nate ?

— Non… Je ne veux plus jamais revoir Nate. Mais cela n'arrivera pas.

Elle soupira.

— Je pense vraiment que tu devrais en parler à tes parents.

— Pas question.

Diane reposa son menu et prit ma main.

— Tout va bien ? Tu as été très silencieuse toute cette semaine.

Je haussai les épaules.

— Tu sais, ce n'était pas facile, au début, d'être amie avec Ryan, reprit-elle. J'ai dû mettre en place une nouvelle routine avec lui, mais aujourd'hui, c'est l'un de mes meilleurs amis. Tout comme toi.

Elle hésita.

— Et j'aimerais que mes deux amis les plus proches se réconcilient.

— Quoi ?

J'en restai bouche bée.

— Nous réconcilier ? Diane, il ne veut même plus m'adresser la parole ! J'ai essayé de m'excuser, mais il m'ignore complètement.

— Je sais. Il est seulement bouleversé.

— Bouleversé ? répétai-je, frustrée. Ce que Rosanna a dit n'était qu'un pur mensonge. Il le sait, n'est-ce pas ?

Diane hocha la tête.

— Alors, quel est le problème ? Nous sommes amis depuis des années, et puis soudain, il ne veut plus me parler ? Pourquoi ? Parce que tout le monde pensait qu'on avait un rencard ?

Diane s'agita nerveusement sur sa chaise.

— Penny, Ryan aussi pensait que c'était un rencard.

— Diane, il était au courant du règlement du Club. Il savait que je ne pouvais pas sortir avec lui.

Elle haussa les épaules.

— Tu sais, continuai-je, peut-être que Ryan et Nate ne sont pas si différents après tout.

Diane accusa le coup.

— Comment peux-tu dire une chose pareille ?

— Allons, Diane, dis-je, le visage en feu. Bon, d'accord, Ryan croyait que c'était un rendez-vous. Donc, parce que je n'ai pas voulu...

J'allais dire « être sa petite copine », mais je ne voulais pas la blesser.

— ... parce que je n'ai pas voulu aller à un *rendez-vous*, il ne veut plus être mon ami ? Tout ce qu'il attend de moi, c'est donc..., je ne sais pas, de coucher avec moi ?

Diane plissa les lèvres.

— Tu sais qu'il n'est pas comme ça.

— Vraiment ?

J'étais dans tous mes états. Je savais que j'avais franchi la ligne rouge. Que Ryan n'était pas comme Nate, mais Ryan me manquait. Lui parler, traîner avec lui entre deux cours me manquait. Et il venait de me laisser tomber. Comme Nate. Alors, en quoi était-il différent ?

— Je dis juste que mon opinion sur les mecs n'a pas changé.

J'étais certaine d'avoir raison de ne pas m'impliquer avec Ryan. Il finirait par me blesser. Comme il l'avait déjà fait.

Tracy vint me trouver le lendemain après les cours.

— Salut, j'ai à te parler, dit-elle, l'air sérieux.

Nous progressâmes vers les bancs alignés le long du couloir près de la cafétéria.

— C'est à propos du Club. J'ai des trucs à te dire.

— Le Club ?

Je pensais que tout allait pour le mieux. Mais j'étais plutôt distraite ces derniers temps. Il ne serait donc pas surprenant que j'aie raté quelque chose.

— Oui, Kara va manquer les deux prochaines réunions.

— Oh ?

Tracy regarda autour d'elle.

— Ouais, je n'ai rien dit à Diane ou toi parce que j'ai juré de ne le dire à personne.

— Qu'est-ce qui se passe ?

Elle va aller voir un psychiatre.

— Un psychiatre ?

Tracy soupira.

— Oh ! allez, Pen. Nous n'avons rien dit ces dernières années en la voyant décliner. Je ne sais pas ce qui l'a motivée, mais elle s'est confiée à Morgan et moi lors de la dernière réunion et nous a dit qu'elle voulait reprendre le contrôle de sa vie.

— C'est super.

J'étais heureuse pour Kara. Heureuse et inquiète.

Enfin, peu importe, continua Tracy. Le programme qu'elle va suivre va lui prendre tout le week-end.

— Bien sûr, pas de problème.

Je me sentais mal de ne pas être au courant et de ne pas avoir été là pour Kara.

Ryan approchait de son casier. C'était la première fois que je le voyais cette semaine, en dehors du cours d'histoire du monde.

— Salut, Ryan, dit Tracy.

Il détourna le regard de son casier.

— Salut, Tracy.

De nouveau, il ne me regarda pas, saisit rapidement ses affaires et s'éloigna.

Tracy nous observa à tour de rôle.

— Qu'est-ce qui cloche entre vous, bon sang ?

— Rien.

Et c'était la stricte vérité. Il ne se passait absolument rien du tout entre nous.

Je décidai de consacrer la semaine précédant les vacances de Thanksgiving au Club. J'en avais assez de m'angoisser à propos de la froideur de Ryan et du désir de Nate d'être mon ami.

— Très bien, crache le morceau ! dit Tracy à Morgan quand celle-ci arriva pour notre réunion de samedi. On veut des détails !

Morgan rougit en voyant que le groupe tout entier attendait de tout savoir de son rendez-vous.

— Eh bien, Tyson est venu me chercher avec le break de sa mère.

— Non ! s'exclama Erin. Ce n'était pas du tout ce que je m'imaginais.

— Je sais, dit Morgan en souriant. Je croyais qu'il aurait une sorte de voiture de rock star, mais c'était vraiment adorable. On est allés au Mexicana Grill, et le dîner a été délicieux – leur guacamole est excellent.

Puis on est allés au garage et j'ai écouté leur groupe répéter. Il a interprété une chanson pour moi.

Morgan rougit à ce souvenir.

— Une chanson originale ? demanda Teresa.

Pendant que Morgan poursuivait le récit de sa soirée, je passai le groupe en revue. Toutes les filles s'intéressaient au rendez-vous de Morgan et se réjouissaient pour elle. Je ne pus m'empêcher de sourire.

C'était le genre d'amies dont j'avais besoin. Des fidèles. Pas Nate, qui m'avait trahi. Ni Ryan, qui m'avait si vite rayée de son existence.

— Il t'a embrassée ou pas ? On veut des détails ! la taquina Tracy.

Les joues de Morgan rosirent de nouveau et elle baissa les yeux. Un chœur de « houuuuu » emplit la pièce quand Morgan porta ses mains à son visage.

— Penny, il faut que tu m'aides, me supplia-t-elle.

— Très bien, très bien. Laissons à cette malheureuse un peu d'intimité, dis-je en riant.

Je lus une liste de films que nous pourrions regarder et laissai un débat s'instaurer entre une comédie pour ados des années 1980 et un film d'horreur.

— Hé ! Penny, dit Teresa Finer en venant me trouver. Ça ne te dérange pas si Maria et moi on monte réviser ?

— Réviser ? On est samedi soir, les filles.

Maria Gonzales s'empara de son carnet de textes.

— On a un examen important lundi et il faut absolument qu'on le réussisse.

Teresa se pencha.

— J'ai raté le dernier examen et, si mes notes chutent encore, je vais perdre ma bourse de volley-ball à UW[1].

---

1. L'Université du Wisconsin. (NDT)

— Oh ! bien sûr !

Je les invitai à me suivre dans ma chambre.

— Vous serez tranquilles ici. Faites-moi savoir si vous avez besoin de quelque chose.

— Merci, répondit Teresa en s'asseyant sur le sol de ma chambre.

En retournant au sous-sol, je m'aperçus que j'avais un texto de Nate.

Tracy avait éteint la sonnerie, mais cela n'empêchait pas les messages de passer au travers.

J'ouvris le clapet de mon téléphone et éclatai de rire.

— Qu'est-ce qui se passe ?

Tracy et Diane étaient dans la cuisine, à la recherche de nourriture.

Je riais toujours.

— Oh ! c'est juste un message de Nate...

Tracy se rua sur moi et s'empara de mon téléphone.

— Quoi ? Je ne comprends pas.

— Qu'est-ce qu'il dit ? demanda Diane.

— « *Milk était un mauvais choix* », lut Tracy.

J'éclatai de nouveau de rire.

—C'est... gloussai-je. C'est dans le film *Anchorman*. On l'a vu cet été ensemble à la télé et on n'arrêtait pas de citer des dialogues. Vous voyez, ce n'est vraiment rien...

Tracy et Diane avaient l'air horrifié.

— Penny, tu as perdu la tête ?

— Quoi ? C'est un film drôle.

— Tu ne vois donc pas ce qu'il est en train de faire ?

— Que fait-il ?

Tracy appuya sur le bouton « effacer ».

— Confisqué pour la soirée, déclara Tracy en

enfouissant mon téléphone dans sa poche. Retournons au sous-sol. Peut-être que te retrouver au sein du groupe te rappellera pourquoi on est ici.

Je suivis Tracy en bas. Mais un sourire flottait sur mon visage. Nous avions tellement ri, Nate et moi, que j'en avais les larmes aux yeux. De bonnes larmes. J'avais presque oublié tous ces bons moments passés avec lui.

♥♥♥

Je continuai à recevoir des textos toute la semaine. Cela m'agaçait d'admettre que je les attendais presque. Exactement comme j'avais pris l'habitude de guetter les casiers dans l'espoir de croiser Ryan.

J'avais dit à Tracy que je n'en recevais plus, sans quoi elle m'aurait de nouveau confisqué mon téléphone. Et ce n'était pas quelques citations drôles qui allaient me faire oublier ce qu'il m'avait fait subir.

Seulement, j'avais besoin de rire.

Je retournai vivement à mon casier pour remballer mes affaires en prévision des vacances de Thanksgiving. Je vérifiai mon téléphone et éclatai de rire en lisant sa nouvelle citation.

— Salut ! Qu'est- ce qu'il y a de si drôle ?

Je faillis ne pas reconnaître sa voix.

Ryan. Il me souriait.

Oh !

Je ne lui avais pas parlé depuis des semaines. Oui, j'attendais ce moment, mais je ne savais pas quoi faire.

— J'ai juste reçu un texto marrant.

— Eh bien, c'est bon de te voir sourire de nouveau, Bloom.

Comment devais-je prendre cela ?

— Euh…

C'était agréable de lui parler de nouveau. Si seulement je savais quoi lui dire. Je décidai de me montrer sincère.

— Je suppose que je pourrais en dire autant pour toi.

Il se mit à rire.

— Oui, tu as raison. Dures dernières semaines, hein ?

Je me contentai de hocher la tête. D'où venait cette question ?

— Bon, dit-il en fermant son casier. Passe un bon Thanksgiving. Je te verrai à la rentrée.

Il me toucha l'épaule en partant. Mon cœur s'effondra.

Au même instant, je reçus un autre texto de Nate, mais je le détruisis sans le regarder. C'était bien beau les citations amusantes, mais ce n'était pas ce que je voulais.

Cela m'effrayait de penser que cette brève rencontre avec Ryan signifiait tant pour moi.

Je fermai les yeux. J'étais reconnaissante au Club. De ne pas fréquenter de garçons.

Parce qu'il n'y avait aucune chance que Ryan Bauer fasse autre chose que me briser le cœur.

30

enny Lane, tu ne vas pas porter ça, n'est-
ce pas ? me dit ma mère en me voyant
débouler dans la cuisine le matin de
Thanksgiving. Je baissai les yeux pour inspecter ma
tenue – un jean décontracté et un tee-shirt à manches
longues.

— Ah... oui. C'est la tenue classique des Bloom
en vacances.

Elle frottait vigoureusement le plan de travail de la
cuisine et paraissait plus stressée que d'habitude.

— Je sais, mais nous avons des invités cette année.

— Oh ! désolée, je n'avais pas compris que la reine
d'Angleterre nous rendait visite.

— Penny Lane ! s'exclama ma mère.

J'avais oublié à quel point cette fête était importante
pour elle.

Rita et moi avions fait de notre mieux pour l'aider
en épluchant les pommes de terre et en coupant les
légumes. Des entailles sur mes doigts le prouvaient.

Le journal roulé dans sa main, papa fit son entrée.

— Penny Lane, va te changer pour faire plaisir à ta
mère, veux-tu ? Elle est déjà assez triste que Lucy ne
vienne pas pour le week-end.

C'étaient les premières vacances où toute la famille n'était pas réunie. Lucy passait Thanksgiving avec la famille de son fiancé à Boston.

Maman essuya la sueur de son front.

— Je sais qu'elle viendra toute une semaine à Noël, mais on va la passer à préparer le mariage...

Rita pénétra dans la pièce en jean et tee-shirt.

— Les filles, allez vous changer immédiatement !

En grimpant l'escalier, ma sœur me demanda :

— Qu'est-ce que j'ai raté ?

Je secouai la tête. *Joyeux Thanksgiving, Penny.* Rita sentit combien j'étais nerveuse.

— Penny, ça va aller. Tu dois être une grande personne. Tu ne dois pas lui laisser le pouvoir.

Les Taylor arriveraient dans moins d'une heure et je n'avais toujours aucune idée de ce que j'allais dire à Nate. Pour être honnête, je me demandais ce que j'allais ressentir en le voyant. De la colère ? De la tristesse ? Les e-mails et les textos étaient une chose, mais quand je le regarderais dans les yeux ? Là, j'en saurais bien plus. Il fallait absolument que je reste forte. Pas question qu'il m'impressionne. J'avais tourné la page.

Dans ma chambre, je dénichai le haut blanc que Diane m'avait laissé après le bal, quand elle m'avait dit que je devais accentuer « ce que la nature m'avait donné ». Je l'enfilai sur un pantalon à fines rayures et chaussai des escarpins noirs. Je redescendis en me disant que j'avais meilleure allure..., peut-être un petit peu trop pour mon père.

— Euh..., c'est nouveau, Penny Lane ? demanda papa en observant ma tenue avec perplexité.

— Oh ! Dave, détends-toi, dit maman. Elle est charmante.

La sonnerie retentit et je pris plusieurs profondes inspirations. Rita agrippa ma main et me souffla :

— Ne le laisse pas gagner.

Gagner ? Qu'y avait-il à gagner ?

La porte s'ouvrit et il y eut une explosion d'activité – mes parents étreignirent M. et Mme Taylor et échangèrent de chaleureuses paroles de bienvenue.

Mme Taylor se tourna vers moi.

— Oh ! Penny, regarde-toi ! me dit-elle en m'embrassant. Chérie, tu es magnifique.

Elle me laissa et je me retournai.

Le voilà. Avec cette expression sur le visage – était-ce de la timidité ou de la suffisance ?

— Salut, Penny.

J'ouvris la bouche et essayai de dire quelque chose, n'importe quoi, mais c'était impossible. Je repensai à ce que Diane avait dit à propos de Ryan qui était dans sa vie depuis si longtemps. Voilà Nate en face de moi, Nate que je connaissais depuis toujours.

Si seulement mon dernier souvenir de lui pouvait effacer tous les autres, mais pas du tout. Nous voir faisait partie d'une routine, échanger « Salut, Penny » et « Salut, Nate » comme si nous partagions un secret..., ce qui était le cas.

Je le haïssais d'exister. D'être là sous mes yeux. Les sentiments qu'il m'inspirait étaient insupportables. J'avais envie de hurler et de m'enfuir, mais je pouvais à peine respirer. Sa simple présence m'émoustillait, comme chaque fois que je le voyais.

Ce serait plus pénible que je ne l'avais imaginé.

— Donnez-les-moi, dit Rita en me fourrant les manteaux des Taylor dans les bras. Penny va les suspendre.

J'adressai à Rita un regard reconnaissant et me précipitai vers le placard. Ranger les manteaux me prit un temps fou. Pendant toutes ces minutes, je sentis le regard de Nate sur moi. Et j'adorais cela.

— Alors, qu'est-ce que je vous sers à boire? demandai-je à la seconde où la dernière veste fut pendue.

— Je m'en occupe, ma chérie.

Mon père voulut prendre la commande des boissons, mais Rita s'interposa.

— Non, papa, laisse-moi faire. Penny va m'aider.

Je fis mine d'aller dans la cuisine, quand je sentis qu'on me tirait par le bras.

— Penny, déclara Nate en m'étreignant, tu m'as tellement manqué.

— Ahhhh ! roucoula la mère de Nate. Il n'a pas cessé de parler de toi depuis les vacances, ma chérie.

Je me raidis brusquement, là, dans les bras de Nate.

— Allez, Penny, lança fermement Rita en s'approchant, obligeant Nate à me libérer. On a des trucs à faire à la cuisine.

Elle se tourna vers Nate.

— Tu sais, la pièce où on range les couteaux tranchants.

Tandis qu'il battait en retraite, je l'examinai pour la première fois depuis qu'il m'avait complètement anéantie. Bizarrement, le souvenir que j'avais de lui n'était pas le même. N'avais-je jamais remarqué combien son visage était plat ? Et ses yeux, pâles, sans vie ?

Je respirais déjà un tout petit peu mieux.

Alors que j'étais dans la cuisine avec Rita et ma mère pour tout préparer, Mme Taylor nous passa au gril, nous mitraillant de questions à propos du lycée. Heureusement, les garçons étaient en bas en train de regarder le match de football. C'était la première fois que cette tradition sexiste ne me dérangeait pas.

Je me rendis dans la salle à manger et remarquai que maman m'avait placée juste à la droite de Nate. Impossible d'éviter la conversation.

Il ne restait pas assez de temps pour échanger les places – tout le monde arrivait déjà pour dîner. En attrapant une assiette, je réalisai que maman s'était donné beaucoup de mal cette année.

Il était impossible de mettre de tout dans l'assiette ; cela dit, je fis l'impasse sur la sauce aux canneberges pour éviter de tacher ma chemise. La sauce aux canneberges et la dinde au tofu.

Mes parents n'allaient pas laisser les traditions entamer leurs croyances ; aussi avais-je l'habitude de me rassasier grâce à la salade, la purée de pommes de terre, le riz et les patates douces.

Nate me suivit jusqu'au buffet. Il se pressa derrière moi pour attraper un morceau de pain et en profita pour poser la main sur la partie dénudée de mon dos, qu'il caressa de ses pouces. Je me raidis, incapable du moindre mouvement.

— Tu m'as manqué, susurra-t-il.

L'espace d'un instant, je voulus lui répondre : « Tu m'as manqué aussi », tant j'avais l'habitude de ce genre d'échanges entre nous. Cette fois, je résistai à mon envie. J'avais passé des mois à tenter d'oublier ses mots, son contact.

J'étais dans l'incapacité de le regarder. Aussi allai-je me réfugier à table.

En s'asseyant à son tour, Nate jeta un regard appuyé à ma poitrine.

Attends une seconde, pensai-je alors.

M. Taylor se tourna vers moi.

— Alors, Penny, qu'est-ce que c'est que ce club dont je n'arrête pas d'entendre parler ?

Je manquai m'étouffer avec ma purée de pommes de terre. Comment était-il au courant ?

Mme Taylor me donna la réponse.

— Oui, ta mère nous a envoyé le lien sur l'article paru dans le journal de ton lycée.

Si maman espérait que j'allais l'aider à faire la vaisselle, elle serait bien déçue.

— Ça a l'air très amusant. Comme j'aurais aimé avoir ce genre de projet à ton âge !

Cela signifiait que Nate était au courant pour le Club. Je n'osai regarder dans sa direction, me contentant de sourire et de répondre gaiement :

— Oui, c'est très amusant.

Ma main se mit à trembler. Je regardai Rita, qui m'adressa un sourire d'encouragement.

— C'est super, déclara-t-elle, d'autant que, si vous saviez tous les losers qui ont invité Penny à sortir, vous n'en reviendriez pas !

Mme Taylor sourit et hocha la tête.

— Eh bien, c'est formidable, Penny.

La conversation se porta alors sur la politique. Là, je ne résistai pas à l'envie de regarder Nate. Il enfourna une grosse fourchette de nourriture dans sa bouche. Une goutte de sauce brillait sur son menton.

C'était *lui*, le type qui me faisait rêver à chaque instant ? C'était lui, le type qui m'avait brisé le cœur ? Lui ?

Après le dîner et la vaisselle, je me réfugiai dans ma chambre à l'étage pour appeler Tracy. Avant d'avoir eu le temps de composer le numéro, Nate frappa à ma porte et me demanda s'il pouvait entrer.

L'idée de me retrouver seule avec lui me rendait un peu nerveuse, mais je ne pouvais guère l'ignorer plus longtemps.

Il s'assit au bord de mon lit.

— Viens, dit-il en tapotant la place à côté de lui.

— Non, merci, répondis-je en campant sur mes positions, près de mon bureau.

Nate se leva.

— Oh ! allez, Penny... Je pensais le moindre mot que je t'ai écrit dans mes messages. Tu n'es pas encore en colère contre moi, si ?

Il s'approcha et posa ses mains sur mes épaules.

Autrefois, ce contact était la seule chose qui comptait pour moi. Autrefois, j'aurais tout donné pour vivre cet instant – tous deux seuls, liés par le secret. Autrefois, la liste de mes princes charmants ne comportait qu'un seul nom. Autrefois, mon amour pour lui le rendait incroyablement beau, peu importait ses actes et ses mensonges.

— Dis-moi ce que je dois faire pour arranger les choses, murmura-t-il en se penchant pour caresser mes épaules.

— Eh bien, tu pourrais commencer par ôter tes mains de là.

Il ignora ma demande.

— Avant, tu aimais cela...

Je me redressai et le repoussai.

— Ouais, avant, j'aimais un tas de choses stupides.

Il parut sincèrement blessé.

— Ne dis pas ça, Penny. Je sais que les choses se sont mal passées entre nous, mais ce n'est pas si grave.

— Tu *plaisantes*, j'espère ?

Ma voix avait viré dans les aigus.

J'entendis des pas lourds dans l'escalier et, quelques secondes après, Rita déboula dans ma chambre.

— Toi, mon vieux, éloigne-toi de ma sœur !

Je me tournai vers Rita.

— En fait, Rita, ferme la porte.

Elle posa la main sur la clenche.

— Non, je veux dire, laisse-nous, s'il te plaît.

Rita quitta la pièce et referma la porte derrière elle.

Nate avait l'air triomphant.

— Ah ! c'est mieux comme ça, dit-il en se rapprochant dangereusement de moi.

Aussitôt, je levai la main.

— Stop !

— Pourquoi faut-il toujours que tu me fasses marcher ? dit-il en me faisant un clin d'œil.

Mes joues s'empourprèrent. Je me fis violence pour ne pas lui mettre mon poing dans la figure.

— Comment peux-tu venir ici et croire qu'après ce que tu m'as fait, je vais te pardonner ? Quelques e-mails et textos rigolos ne changent rien.

Un étrange changement se produisit alors en Nate. Il affichait un calme anormal, comme si la réponse était parfaitement évidente.

Du moins à ses yeux.

— J'imagine que tu devrais me pardonner parce que je t'aime.

Et il le croyait. C'était un menteur, un falsificateur, un manipulateur. Mais à ce moment précis, il croyait sincèrement à ses propres mots, même si ce n'était que pour quelques secondes.

— Nate, tu n'as pas le droit de faire une chose

pareille. Tu n'as pas le droit de me dire ces mots. Tu m'as menti.

J'avais un goût âcre dans la gorge.

— Je t'ai dit ce que tu voulais entendre, dit-il, reprenant du poil de la bête.

— Ah oui ? Et tu ne crois pas que j'aurais plutôt aimé entendre la vérité ?

Je voyais bien ce qui était en train de se passer. A la minute où je lui avais résisté, son « je t'aime » s'était envolé.

— Tu sais quoi, Pen, non, je ne le pensais pas, parce que je ne crois pas que tu étais prête à entendre la vérité. Tu as inventé un stupide conte de fées sur nous depuis que nous sommes petits, alors, oui, j'ai fait ce que tu attendais de moi.

— Tu m'as manipulée.

Nate leva les mains.

— Je ne suis pas allé très loin !

Mon corps se mit à trembler.

— Tu es allé bien assez loin.

— Peu importe. Je crois que tu me dois un grand merci.

— *Quoi ?*

J'avais dû mal comprendre.

Un sourire éclaira son visage.

— Le Club des cœurs solitaires ? Il est clair que c'est à cause de moi que tu l'as créé.

Ma mâchoire faillit se décrocher. Il pensait vraiment que je devais le remercier !

— Oh ! allez ! Tu avais besoin de tourner la page et tu as lancé ce club. Pour être honnête, je me sens un peu flatté, *baby*.

Je le dévisageai, sous le choc.

Je tentai de me remémorer ce que Rita avait dit à propos d'être une adulte. Je pouvais lui dire calmement qu'il se trompait du tout au tout, ou bien le laisser gagner. Je pouvais être une adulte ou bien une gamine de seize ans.

Comme si j'avais le choix.

— Tout d'abord, appelle-moi encore *baby* et aucune équipe médicale sur terre ne saura déterminer si tu es un garçon.

Finalement, je n'avais que seize ans.

Son sourire disparut aussitôt de son visage.

— Franchement, je ne vois vraiment pas ce que je te trouvais. Tu es un être totalement égoïste. En plus, tu es loin d'être aussi mignon que tu le crois et tu n'as pas plus de conversation qu'un tas de pierres. Les gens tirent des leçons de leurs erreurs, eh bien, laisse-moi te dire ceci : tu as été une énorme erreur. Non seulement je ne referai jamais une erreur pareille, mais je ne veux plus *jamais* te voir chez moi.

Je m'approchai de lui et lui jetai en pleine figure :

— Tu vas chercher un boulot pour l'été prochain dans ton bled et tu ne viendras pas en vacances ici. Il n'est plus question que tu passes tes étés chez moi, c'est bien compris ?

— Tu ne peux pas m'obliger à faire ça, maugréa-t-il en croisant les bras.

— Oh ! vraiment ? Très bien, d'accord.

J'agrippai son bras.

— Nous allons descendre au salon et raconter à ma mère tout ce qui s'est passé cet été… et je dis bien *tout*.

Nate s'arrêta net.

— Allons, Nate, tu n'as rien fait de mal, n'est-ce pas ? Alors, où est le problème ? Je pense que ma mère va être ravie d'apprendre ce que tu m'as fait, d'autant que tu en faisais de belles en même temps avec d'autres. Oh ! Peut-être même que j'aurai de la chance et que je serai là quand ma mère le dira à la tienne ! Honnêtement, cela me rend malade de ne pas leur dire la vérité. Bien sûr, ma mère sera déçue de mes choix malheureux en matière de garçons, mais je suis persuadée qu'elle sera bien plus en colère… contre toi.

Nate se libéra de mon étreinte.

— Penny, arrête.

— Arrête quoi ? Tu n'as quand même pas peur de ma mère ?

Je n'en revenais pas de lui avoir dit tout cela en face.

— Tu sais quoi, continuai-je, une bonne chose est sortie de cet été. Je mérite tellement mieux que toi ! Donc, je suppose que je devrais te remercier d'avoir été un vrai salaud, car cela m'a fait revenir à la raison et comprendre que je méritais mieux. Au final, les gens qui comptent le plus pour moi sont mes amies, pas quelqu'un comme toi. Tu ne signifies absolument rien pour moi. Oui, dans un sens, tes actions ont mené à la fondation du Club, qui se trouve être la meilleure chose qui me soit arrivée. Mais je ne te dois rien du tout.

Je me tournai pour quitter la chambre, puis me ravisai.

— Ah ! Et, Nate ? Tu embrasses comme un chien baveux, tu as une haleine affreuse et tu serais incapable d'appuyer sur les bons boutons chez une fille, même si on te donnait le mode d'emploi. Joyeux Thanksgiving !

Parfait. A partir d'aujourd'hui, je serais une adulte.

31

N on ?! Tu n'as pas fait ça ? hurla Tracy quand je lui donnai tous les détails du dîner par téléphone.

— Tu le crois, toi ? Je suis peut-être allée un peu loin à la fin, mais je me sens incroyablement légère maintenant.

Allongée sur mon lit en pyjama, j'avais un peu la tête qui tournait. Les Taylor étaient partis, et Rita m'avait apporté une grosse part de tarte au potiron. La vie était belle.

— Franchement, lors de la prochaine réunion du Club, je veux qu'on organise une reconstitution de toute la scène. Je serais ravie de jouer le rôle de Nate. Qui d'autre est au courant ?

— Seulement Rita et toi. Elle pense que je suis une déesse !

— Tu dois convoquer le Club. Toutes les filles sont impatientes de savoir ce qui s'est passé !

— Je le ferai… Je n'en reviens pas de me dire que le revoir était une bonne chose. Je ne sais pas à quoi je pensais. Il a tellement changé.

— Penny, ce n'est pas Nate qui a changé, c'est toi. Tu sais que je ne l'ai jamais aimé. Je t'ai toujours dit que tu méritais mieux, mais tu ne m'écoutais pas et, maintenant, tu connais la vérité. Plutôt cool, hein ?

Plutôt cool, en effet.

Après avoir appelé Diane, Jen, Amy et Morgan, j'étais complètement épuisée.

Je l'avais fait. J'avais tenu tête à Nate.

Sur mon bureau, je pris mon vieux journal intime et l'ouvris à la dernière entrée. C'était le récit qui m'avait brisé le cœur tant de fois par le passé. Je fis courir mes doigts sur les mots écrits à l'encre. Des mots si douloureux. Mais à présent, je savais que tout irait bien.

Je pris un stylo et me mis à griffonner quelques lignes en dessous de *Yesterday.*

Je ne réécrivais pas l'histoire ; simplement, je me rappelai que je pouvais surmonter une peine de cœur, si jamais cela m'arrivait de nouveau.

... I'll be back again.

Oui, je reviendrais. Je pourrais de nouveau prendre des risques et je serais capable d'affronter l'avenir. Ce qui me blesserait ne me rendrait que plus forte encore.

Et je méritais tout ce que je voulais – quelqu'un qui m'apprécierait, quelqu'un en qui je pourrais me fier, quelqu'un qui m'aimerait pour ce que je suis.

Mon cœur sombra quand je pensai à Ryan.

32

— **A**ttention, Penny Lane, ceci est notre petit secret, foi de petit doigt.

Mon père me tendit son petit doigt et je croisai le mien avec le sien pour sceller notre pacte.

— Ta mère me tuerait si elle apprenait ce que nous avons fait des restes de son repas.

Papa et moi mangions ensemble, ce samedi soir, et aucun de nous deux n'avait eu le courage de manger les restes de dinde... Aussi les avions-nous tout bonnement jetés à la poubelle. Maman ne croirait jamais que j'avais aidé papa à tout terminer.

— Alors, quel est le programme du Club ce soir ? demanda-t-il.

— On va voir un film pour que la maison ne soit pas envahie par un milliard de nanas hystériques.

Papa sourit.

— Quel soulagement ! Pas de soirée karaoké ?

Eh bien, c'était justement le but du film : essayer de distraire Jen de la soirée prévue le week-end prochain. Elle était dans un état d'excitation incroyable. Non seulement j'avais promis de chanter un solo, mais j'avais aussi promis que le Club interpréterait un classique du *Sgt. Pepper's Lonely Heart Club Band*.

Le téléphone sonna et papa alla décrocher.

— Oh ! bonjour, Ryan, dit-il avant de l'écouter un bon moment.

Ce n'était pas…

Le front de mon père se barra d'un pli soucieux.

— Non, non, tu as fait ce qu'il fallait. Je serai à mon cabinet dans cinq minutes. Retrouve-moi là-bas.

Urgence médicale.

— Est-ce que tout va bien ?

— C'était Ryan Bauer – sa sœur est tombée et sa bouche a heurté la table. Elle saigne beaucoup. Je dois aller au cabinet, ajouta-t-il en attrapant sa veste. En fait, Penny, une autre paire de mains ne serait pas de trop. Tu peux venir avec moi ? En plus, Ryan avait l'air plutôt secoué. Il aura bien besoin d'une amie.

Avant que j'aie pu protester, papa m'avait lancé ma propre veste et s'était rué dehors.

Ryan nous attendait, sa sœur de huit ans, Katie, dans les bras. Ses longs cheveux noirs lui couvraient le visage. Papa courut vers lui et posa la main sur la tête de la petite.

— Ça va aller, ma chérie, lui dit-il.

Puis il me tendit ses clés.

— Penny Lane, ouvre le cabinet, allume les lumières de la salle d'examen, mets tout en place et prépare-moi un jeu d'instruments.

Ryan sembla brusquement remarquer ma présence. Son regard reflétait la panique. Je pris nerveusement les clés et me ruai dans le cabinet, allumai, puis fonçai dans la salle d'examen de mon père. Par réflexe, je branchai tous les appareils, sortis une série d'instruments propres et les plaçai sur le comptoir.

Les sanglots de Katie s'accentuèrent quand mon père et Ryan pénétrèrent dans le cabinet.

— J'étais à l'étage en train de préparer le dîner quand j'ai entendu un grand bruit. Je suppose qu'elle sautait un peu partout et... qu'elle est tombée, expliqua Ryan à mon père.

Il installa Katie dans le fauteuil et papa ôta délicatement la serviette qui couvrait son visage. On ne voyait rien d'autre que du sang.

— Oh non ! s'exclama Ryan en plaquant ses mains sur sa tête.

Puis il se mit à faire les cent pas.

— Tout va bien se passer, dit papa.

Je n'aurais su dire s'il parlait de Katie ou Ryan.

Je courus dans le bureau de mon père, attrapai Abbey le morse et retournai en hâte dans la salle d'examen. Papa examinait Katie, qui pleurait encore plus fort.

— Tiens, mon cœur, lui dis-je en lui tendant la peluche avec laquelle je jouais quand j'avais son âge.

Katie prit le morse avec hésitation, puis le serra comme si sa vie en dépendait.

— Bien, quelques dents sont un peu lâches, mais tout a l'air en place. Je vais nettoyer la blessure et puis j'essayerai de stabiliser les dents.

Papa observa Ryan, qui semblait sur le point de s'évanouir.

— Penny Lane, pourquoi n'emmènes-tu pas Ryan dans la salle d'attente ?

Puis il enchaîna aussitôt en voyant que Ryan allait protester :

— Ryan, je pense qu'il vaut mieux que tu attendes là-bas. Tu as fait tout ce qui était en ton pouvoir.

Je me dirigeai vers la sortie, Ryan sur mes talons. Sans réfléchir, je lui mis la main sur l'épaule.

Il se laissa tomber sur le canapé de la salle d'attente et enfouit sa tête dans ses mains.

— Ma mère va me tuer.

Je m'assis à ses côtés et entourai ses épaules de mon bras.

— Ryan, tu n'as rien fait de mal.

— Il y a tellement de sang, rétorqua-t-il.

— C'est seulement parce que le sang s'est mêlé à la salive. Du coup, ça a l'air plus grave que ça ne l'est en réalité.

Il releva brusquement la tête.

— Pourquoi es-tu venue ?

Etait-il fâché ou embarrassé ? Je n'aurais su le dire.

— Mon père, euh, a pensé que je pourrais l'aider… et que tu pourrais avoir besoin d'une amie.

Je pris sa main et la serrai dans la mienne.

Le téléphone de Ryan sonna et le fit sursauter.

— Oui, maman… Non, je suis allé directement chez le docteur Bloom… Oui…, d'accord…, d'accord…, je le ferai… Salut.

— Tu sais que ce n'est pas ta faute, dis-je quand il eut raccroché.

Il se contenta de me regarder en silence.

— Hum, quand j'avais deux ans, Lucy était censée me surveiller. Elle n'avait que dix ans à l'époque ; aussi était-ce sans doute un peu irresponsable de la part de mes parents de nous laisser seules. Elle m'avait laissée dans sa chambre, sur le lit superposé du haut, et, eh bien, tout ce dont je me souviens après, c'est que je suis tombée. Voilà sans doute pourquoi je ne suis pas tout à fait normale.

Je lui donnai un coup de genou.

— Ou bien c'est autre chose…

Il sourit.

— Je sais que Katie va s'en tirer sans dommages, mais ma mère se dit que je l'ai abandonnée, et Cole est tellement surprotecteur avec Katie. C'est juste que… Est-ce que tu sais à quel point c'est fatigant d'être moi parfois ?

Je le dévisageai, incrédule.

— Ryan, personne n'attend de toi que tu sois parfait.

— D'accord, dis ça aux entraîneurs et à mes parents.

Je n'avais jamais réfléchi à cela. A mes yeux, Ryan était tout simplement *parfait*.

— Tout est ma faute, continua-t-il. Je me tue à répondre aux attentes des uns et des autres. Pour une fois, j'aimerais sécher les cours, boire à une soirée, au lieu de toujours dire ou faire ce qu'il faut. J'entends d'ici mes parents : « Tu aurais dû la surveiller, Ryan. A quoi pensais-tu, Ryan ? Tu es irresponsable, Ryan. Nous sommes tellement déçus, Ryan. » Ça, c'est le pire, quand ils me disent que je les déçois, que je n'ai pas droit à la moindre erreur. Heureusement, mon père ne sera pas au courant de toute cette histoire.

C'était la première fois que Ryan mentionnait son père depuis le fameux match de football où il n'avait pas pointé son nez.

— Si je dois l'entendre encore une fois me dire qu'un A- est aussi nul qu'un B- et qu'aucune université digne de ce nom ne m'ouvrira ses portes à moins que je ne récolte que des A… Comme si je voulais suivre ses traces et devenir une sorte de connard égoïste.

Ma bouche resta ouverte.

Il avait l'air horrifié.

— Je suis désolé... Je n'aurais pas dû... Je ne voulais pas insinuer...

— Ce n'est rien, lui dis-je en lui pressant le bras. Tu es stressé à cause de Katie, c'est tout. Et... tu es sous pression en ce moment.

Il tourna vers moi un visage éreinté.

— Je sais que tu trouves ma réaction exagérée, mais j'ai toujours fait en sorte de ne pas décevoir les autres... Et moi alors ?

— Qu'est-ce que tu veux, *toi* ?

— Est-ce que c'est important ? répondit-il en baissant la tête.

— Oui, si c'est important pour toi.

— Je ne peux pas l'avoir ; alors, à quoi bon ?

Cela ressemblait si peu au Ryan que je connaissais... En cet instant, il paraissait si vulnérable. Cela le rendait plus attachant encore. Je lui pris la main.

— Ryan, tu es une personne fantastique et tu mérites ce qu'il y a de mieux.

Il fixa ma main.

— Je ne suis pas stupide, tu sais.

J'étais confuse. Qu'entendait-il par là ? De sa main libre, il prit mon menton.

— Je sais que les choses étaient un peu bizarres entre nous, mais est-ce que tout pourrait, s'il te plaît, redevenir normal ?

Je doutais que cela soit possible. Qu'est-ce qui était normal au juste ?

Pourtant, j'acquiesçai.

— Je suis vraiment désolée pour tout ce que Rosanna a...

— Je sais, dit-il en lâchant mon menton et en ôtant son autre main de la mienne.

Je mourais d'envie de la lui reprendre, mais je résistai à la tentation.

— Bon, dis-je en lui donnant un coup dans le genou. Tu as vu ? Tu es venu pour ta sœur et te voilà en train de me réconforter.

— Que veux-tu, je suis monsieur Perfection !

Je ris.

— Si on veut. N'oublie pas que je t'ai entendu chanter au concert et sachez, monsieur, que vous avez un léger problème de justesse. Je dirais que vous êtes loin d'être parfait !

Il secoua la tête et nous restâmes un moment silencieux. Puis je me mis à fredonner la chanson populaire qui passait en sourdine.

— Oh ! mon Dieu !

— Quoi ? s'écria Ryan.

— Rien, c'est juste…

Je m'approchai du bureau d'accueil et montai le volume.

— On dirait que c'est approprié, tu ne trouves pas ?

Je me mis à chanter en chœur avec les Beatles.

— « *Won't you please, please help me[1].* »

— Tu n'as pas idée, dit-il en poussant ce qui ressemblait à un soupir de soulagement.

Papa apparut quelques minutes plus tard, tenant Katie par la main. Sa bouche avait bien meilleure allure, malgré la gaze que papa avait fixée dessous pour arrêter les saignements.

Ryan bondit de son siège et se mit à genoux pour la serrer dans ses bras.

— Docteur Bloom, merci infiniment. Je suis

---

1. « Pourras-tu, s'il te plaît, s'il te plaît, m'aider. » (NDT)

vraiment navré de vous avoir appelé chez vous... Je ne savais tout bonnement pas quoi faire.

Mon père serra la main de Ryan.

— Pas de problème... Tu as fait ce qu'il fallait.

Katie s'approcha de moi et me tendit Abbey de ses petits bras. Je me penchai vers elle.

— Tu sais, je crois que tu auras plus besoin que moi d'Abbey.

Son visage s'éclaira, puis elle courut vers Ryan et lui agrippa la jambe.

— Eh bien, dit-il, je crois qu'on va y aller. Merci encore, docteur Bloom.

Il se tourna vers moi et m'étreignit en me disant :

— Merci, Penny.

Puis il se pencha et m'embrassa sur la joue.

Je vis la surprise se peindre sur le visage de mon père. Quand ils eurent franchi la porte d'entrée, il me regarda.

— Bon... Ce Ryan, un type bien, hein ?

Tu n'as pas idée, me dis-je.

With a Little Help from My Friends

« Je m'en tire avec un peu d'aide de mes amis[1]. »

33

Habituellement, après les vacances scolaires, je traînais les pieds pour retourner en cours. Mais cette fois, je mourais d'envie de revoir Ryan, pour vérifier si les choses s'étaient vraiment arrangées entre nous. Nous reprîmes rapidement nos habitudes, et je courais pratiquement vers les casiers après chaque cours. Au lieu de piétiner, j'attendais avec impatience l'interclasse, où Ryan et moi en profitions pour nous asticoter. Je lui disais alors tout ce qui n'était pas parfait chez lui et il commentait la forme bizarre de ma tête suite à ma chute du lit superposé.

— Quand j'y pense, je ne t'ai jamais vue porter de chapeaux – ce ne serait pas à cause de, tu sais, ton petit *accident* ?

Il tira sur mon écharpe pendant que je boutonnais mon manteau de laine.

— Hum, laisse-moi réfléchir… Je ne t'ai jamais vue jouer d'un instrument… C'est peut-être parce que tu es totalement inapte à la musique ?

J'enroulai mon écharpe autour de mon cou de façon à ce qu'elle fouette son visage.

— Oh ! excuse-moi…

— Penny ! cria une voix aiguë dans le couloir.

Je vis alors Jen courir vers moi, Tracy sur ses talons. Cela n'augurait pas bien.

Tracy annonça la nouvelle.

— Le principal Braddock a décidé que nous ne pouvions plus donner notre soirée karaoké dans le gymnase.

— Quoi ? m'écriai-je. C'est dans quatre jours !

Jen prit une profonde inspiration.

— Il a dit que l'événement se transformait en soirée du Club des cœurs solitaires et qu'il ne pouvait pas avoir lieu sur le campus.

— Ça n'a aucun sens ! On récolte des fonds pour l'équipe de basket-ball. On aide simplement notre amie. Tout le monde est invité.

Jen enfouit sa tête dans ses mains.

— Qu'est-ce qu'on va faire ? Nous avons travaillé tellement dur.

Tracy s'assit et entoura de ses bras le corps tremblant de Jen.

— Ecoute, nous allons seulement différer la soirée jusqu'à…

— Certainement pas ! protestai-je.

Interloquées, Tracy et Jen me dévisagèrent.

— Ecoutez-moi bien, les filles. Nous allons faire cette soirée et ramasser tellement de fric que l'équipe de basket-ball aura les plus beaux uniformes de toute l'histoire du lycée.

Tracy me regarda comme si j'étais folle.

— Mais, Pen, on ne peut pas utiliser le lycée.

— Alors, nous trouverons un autre endroit. J'en ai assez de tous ces drames. Franchement, quel est l'objectif de ce club si nous sommes incapables de surmonter quelques minuscules obstacles ?

— Mais tous les prospectus ont été imprimés..., gémit Jen.

— Eh bien, nous en ferons d'autres. Au diable le principal Braddock ! Montrons-lui le pouvoir que nous avons vraiment.

A présent, je me surprenais moi-même.

— Allons chez moi, nous avons des coups de fil à passer.

Moins d'une heure plus tard, les trente adhérentes du Club des cœurs solitaires étaient rassemblées chez moi, prêtes à l'action. Mes parents avaient commandé des pizzas pour le groupe pendant que nous passions en revue les solutions qui s'offraient à nous.

— Je continue à penser que tous les parents devraient se réunir pour parler de Braddock, dit papa en ouvrant une boîte de pizza et en prenant une part pour lui.

Je secouai la tête.

— Non, nous devons faire ça à notre manière et montrer que nous sommes capables de résister à la tempête. A nous de prouver que nous pouvons surmonter n'importe quelle épreuve.

Papa hocha la tête tout en mâchant sa part, visiblement ravi de se retrouver au beau milieu de toute cette excitation.

— Très bien, voilà le deal, dit Eileen Vodak en pénétrant dans le sous-sol. Mon oncle veut bien nous laisser utiliser son espace du Bowlarama gratuitement, mais, comme c'est samedi soir et qu'il devra refuser de la clientèle, il demande que les gens n'apportent rien et qu'ils achètent des sodas et des snacks. Ou, si on lui donne cinq dollars par personne, il peut prendre un traiteur pour nous préparer un buffet.

— Mais cela va entamer nos profits, répondit Jen en s'asseyant par terre, déconfite.

— Combien de gens attendez-vous exactement ? demanda papa.

Jen piocha une part de pizza au pepperoni.

— Aucune idée... Cinquante ?

— Cinquante personnes ? Mais ça couvre à peine le Club et l'équipe de basket-ball, nous rappela Diane.

— Waouh ! tu as raison. Je dirais cent, voire cent cinquante.

Jen commença à noter des chiffres sur son bloc-notes.

Papa regarda par-dessus son épaule ce qu'elle écrivait.

— Quand on y réfléchit, Jen, je ne crois pas que le Bloom Dental Office ait fait de donation cette année. Qu'est-ce que vous pensez de ceci : vous lancez la soirée et je prends en charge les rafraîchissements.

Jen leva ses grands yeux bleus sur mon père et, pour la première fois de la soirée, elle sourit.

— Docteur Bloom, merci infiniment ! s'écria-t-elle en se levant et en jetant ses bras autour de son cou. Je vous promets d'utiliser du fil dentaire tous les jours !

Papa se mit à rire.

— Eh bien, voilà une excellente idée.

Cette nouvelle devait illuminer sa journée encore plus que l'idée de sauver l'équipe de basket.

— Très bien, dit Jen en se mordillant nerveusement la lèvre. J'imagine que, maintenant, nous devons prévenir tout le monde du changement de lieu. Nous avons des prospectus... J'espère que ça suffira.

Elle ne semblait guère convaincue.

— Nous devrions faire une annonce au lycée, dit Tracy en dessinant un microphone sur le tableau.

Comme si Braddock allait nous laisser faire ! Si seulement je pouvais m'introduire dans le studio en douce.

— Tu ne peux pas, intervint Diane.

— Oui, je sais bien, je plaisantais, répondit Tracy.

Diane se leva.

— Non, je dis juste que *toi*, tu ne peux pas, mais *moi* je peux.

Je regardai l'heure avec anxiété et pris une profonde inspiration. Pourvu que Diane réussisse son coup et qu'elle ne soit pas punie pour cet acte de sabotage.

Comme Diane était présidente du Conseil étudiant, elle était responsable des annonces du vendredi matin. D'habitude, elle vérifiait simplement les annonces que les clubs lui avaient transmises pour la semaine, puis d'autres membres les lisaient au micro.

Pas cette fois.

Hilary Jacobs et moi échangeâmes un clin d'œil quand la sonnerie retentit, et chacun gagna son siège.

Nous avions distribué les nouveaux prospectus toute la semaine sur le parking de l'école. Il nous avait fallu mettre en place un système de surveillance pour ne pas nous faire prendre. Une fille se tenait à l'entrée du lycée, téléphone portable en main, tandis que deux autres étaient postées près de la sortie la plus proche du parking. Les autres s'étaient réparties sur les rangées du parking pour distribuer les prospectus. Un autre groupe vint par la suite pour ramasser les papiers abandonnés et ainsi ne laisser aucune preuve derrière nous.

A ma connaissance, le principal Braddock ne savait pas que nous avions maintenu notre soirée karaoké. J'étais impatiente de voir sa tête quand Jen lui montrerait tout l'argent récolté lundi matin.

La sonnerie de l'interphone retentit.

— Bonjour, tout le monde, et joyeux vendredi ! annonça Diane. Voici les annonces de la semaine. La parade fleurie annuelle du Key Club débute la semaine prochaine. Les œillets sont à un dollar et vous pouvez obtenir...

J'avais le plus grand mal à me concentrer sur les annonces, tant j'étais nerveuse pour mon amie. Pourvu que le principal Braddock ne soit pas dans les parages et qu'elle ait le temps de faire passer le message.

— Enfin, notez que la soirée karaoké de récolte de fonds pour l'équipe de basket-ball de samedi soir à 19 heures n'aura pas lieu au gymnase comme c'était initialement prévu, mais au Bowlarama sur Cook Street.

On entendit un bruit dans le fond, mais Diane resta d'un calme olympien.

— L'entrée est de cinq dollars, et inclut la nourriture et les boissons. Nous espérons vous voir nombreux au Bowl...

L'interphone se coupa.

— Tu es mon héroïne, Diane, dit Jen tandis que nous nous rendions au Bowlarama.

Elle rayonnait en achetant les billets d'entrée.

— Il y a déjà tellement de monde ! Il faut que je passe en revue le répertoire de chansons. Rappelez-vous, les filles, que vous n'êtes pas encore tirées d'affaire.

Je préférais oublier ce détail.

Diane lui sourit en lui tendant son argent.

— Hé ! je prends un billet pour l'équipe. N'importe qui aurait fait la même chose à ma place.

Je ne sais pas combien de gens auraient pris le risque d'être exclus du match de basket de jeudi et privés de leurs annonces hebdomadaires, mais Diane était radieuse. Une fois dans la salle, nous fûmes aussitôt submergées par la foule. Il devait y avoir déjà là au moins cent cinquante personnes. La salle obscure était éclairée de petites ampoules qui dodelinaient au plafond. C'était charmant pour une salle de bowling.

Au fond se trouvait la scène avec un grand écran et un moniteur où défileraient les paroles des chansons. Alors que nous progressions vers la scène, Jen accourut vers nous.

— C'est la catastrophe !

— Tout est parfait au contraire ! Qu'est-ce qui se passe ?

— Erin est malade. Extinction de voix.

Waouh ! Jen avait vraiment besoin de se détendre. Etant donné les drames que nous avions vécus ces dernières semaines, je voyais mal comment une personne malade pouvait constituer une catastrophe.

— Jen, des tas de personnes vont vouloir chanter ; tu n'as pas à t'inquiéter.

— Mais qui sera la première ? Tout le monde s'est inscrit pour une chanson, mais personne ne veut commencer. Il faut que tu m'aides !

Je regardai autour de moi et vis que Tracy avait brusquement battu en retraite.

— Franchement, Jen, tu ne veux pas de mon aide ? Si je suis la première personne à chanter, la salle va se vider en un clin d'œil.

— S'il te plaît, Penny. Tout le monde te regarde. Si tu le fais, je suis sûre que tout le Club te suivra.

En fait, je me trompais. C'était bien la catastrophe.

— D'accord.

— Merci ! Oh ! merci ! Je te le revaudrai !

Sans blague. Je n'étais pas près de l'oublier.

Je m'avançai vers les cinq tables de devant, occupées par des membres du Club.

— Bon, les filles, j'y vais en premier. Qui m'accompagne ?

On aurait entendu une mouche voler. Pour la première fois depuis la fondation du Club des cœurs solitaires, pas une fille ne me regardait dans les yeux.

— Allez, les filles, si on y va toutes ensemble, ce sera fun !

S'il vous plaît, oh ! s'il vous plaît, que quelqu'un vienne avec moi !

— Personne ?

Tracy jouait avec son paquet de chips, évitant soigneusement mon regard.

Tracy ?

C'était ridicule. Il ne s'agissait que d'une chanson !

Jen regardait autour d'elle avec anxiété. Si je n'agissais pas rapidement, elle allait finir par s'évanouir.

— Très bien, Jen, finissons-en ! Qu'est-ce que je chante ?

Un grand soulagement se peignit sur son visage.

— Tout ce que tu veux ! Rappelle-toi : nous avons des tas de chansons des Beatles.

Même si j'adorais les Beatles, je me sentais mal à l'aise à l'idée de chanter l'une de leurs pièces devant tout le monde. Comme Ryan l'avait compris, il n'y avait que quatre personnes capables de leur rendre justice, et je n'en faisais pas partie.

Je tournai nerveusement les pages du répertoire – mais rien ne m'interpellait. J'avais songé à quelque chose de facile à chanter et qui entraînerait peut-être les autres avec moi. Comme rien ne me semblait adéquat, je décidai de revenir aux classiques et ouvris la section B du répertoire. En passant en revue les titres des Beatles, j'eus une illumination.

Parfait.

Très bien, je n'étais pas Paul, John, ou George, mais peut-être, *peut-être* que je pouvais être Ringo.

Je montai avec réticence sur la scène et, quand le Club se mit à m'encourager, je leur jetai à toutes un regard meurtrier. *Traîtresses.* Mes mains tremblaient tandis que je passais en revue la foule – apparemment, le lycée tout entier était là. Dans le fond, Ryan m'applaudissait. Je lui souris quand je remarquai qui se tenait à ses côtés : Missy. Comment pouvait-il se montrer avec elle après tout ce qui s'était passé ?

Et surtout, qu'est-ce que je faisais *sur scène*, bon sang ?

Jen prit le micro.

— Merci à tous d'être venus à cette soirée de collecte de fonds pour l'équipe de basket-ball. Tous les profits de l'événement de ce soir serviront à payer de nouvelles tenues. Donc, ne soyez pas timides et venez réclamer vos chansons ! Et pour démarrer les festivités, mademoiselle Penny Lane Bloom en personne !

Sous les applaudissements, je fixai le moniteur, tentant de contrôler ma respiration. Je n'avais pas besoin de lire les paroles de cette chanson, mais je ne supportais pas de regarder la foule. Il y avait une intro musicale et, avant même de m'en rendre compte, je chantais et demandais à tout le monde de se joindre à moi : voulait-on se lever et faire un bout de chemin avec moi ?

Pour l'instant, non.

Je fermai les yeux et me balançai d'avant en arrière en chantant. Puis je portai mon regard sur le premier rang en répétant *Please help me*. Je ne suppliais personne, je chantais pour demander de l'aide ! La foule se mit à battre des mains en mesure.

Je me plantai devant Diane et Tracy qui m'encouragèrent de plus belle. Puis je pointai le doigt vers elles en continuant à demander en chantant de l'aide de mes amis. Là, je leur tendis la main pour les inviter à me rejoindre. Diane saisit la perche tendue et monta sur la scène en traînant Tracy derrière elle.

Morgan et Amy nous rejoignirent, et Erin s'invita bientôt sur scène, elle qui ne répugnait jamais à être sous les feux des projecteurs. Nous étions toutes groupées autour du microphone, tandis que le reste des membres du Club s'était levé en chœur et battait des mains. Je saisis l'autre micro et le tendis vers la foule. Puis je commençai à danser avec les autres filles. Toute la salle se mit à chanter avec nous.

Oui, finalement, j'avais obtenu l'aide de mes amies.

La chanson se termina et la foule explosa en applaudissements. Sur la scène, nous nous tapâmes toutes dans les mains. Jen courait en tous sens pour inscrire les candidats qui se pressaient pour prendre la suite.

Nous eûmes droit à tout le répertoire, depuis des reprises de *boys band* par des filles à la performance de l'équipe de football, très inspirée par *We Are the Champions*. Même Morgan et Tyson entonnèrent un charmant duo. Le Club était aux anges. Surtout, Jen avait récolté un maximum de fonds.

Morgan, Eileen, Meg et Kara terminèrent le spectacle en chantant *We Are Family*, puis retournèrent à leurs places.

Je m'assis à côté de Tracy et piquai une chip dans son paquet.

— Oh ! mon Dieu, Penny, dit-elle.

— Relaxe, ce n'est qu'une chip.

L'air surpris, elle pointa la scène où Ryan était monté. Je me mis à rire : essayait-il de prouver à toute l'école à quel point il était imparfait ? Il baissa les yeux vers moi et me fit un clin d'œil.

— Quel est le problème ? demandai-je.

Tracy me regarda avec de grands yeux ronds.

— Tu as vu la chanson qu'il a choisie ?

La musique débuta et mon cœur cessa aussitôt de battre. Je reconnus immédiatement le titre.

Comment aurait-il pu en être autrement ?

J'en portais le nom.

Le Club tout entier se tourna vers moi quand Ryan fredonna les premières notes de *Penny Lane*. Incroyablement faux. J'avais peur pour lui en l'entendant se débattre avec le premier couplet, mais je m'efforçai de contrôler l'émotion que trahissait mon visage, alors que toute la salle avait les yeux braqués sur moi.

Je devais me concentrer sur ma respiration. C'était tellement bouleversant, tellement touchant.

Je n'en croyais pas mes yeux : Ryan chantait pour moi devant toute l'école ! Il m'aimait bien. Il m'aimait vraiment, *vraiment* bien.

Désormais, il était évident que je ne pouvais plus nier mes sentiments pour lui et me dire que cela nuisait au Club. Comment pouvais-je refuser d'être avec quelqu'un comme Ryan ? Pourquoi lutter plus longtemps ? Combien de temps allais-je encore me mentir à moi-même ? Le premier couplet se termina et Ryan fit un pas en arrière, comme s'il avait pris conscience de l'erreur qu'il venait de faire. C'était déchirant par bien des aspects. Diane bondit soudain de son siège pour venir à son secours. Une seconde plus tard, Tracy les rejoignit sur scène, suivie de la majorité du Club des cœurs solitaires. Ryan parut aussitôt soulagé de cette aide inattendue. Je savais exactement ce qu'il ressentait. Je savais aussi qu'après un tel spectacle, les rumeurs iraient bon train.

Mais en cet instant même, je m'en moquais éperdument. C'était la plus belle chose qu'un garçon ait jamais faite pour moi.

Certes, *Penny Lane* n'était pas une grande chanson d'amour, mais à mes yeux, c'était le cadeau le plus romantique qu'on puisse me faire. La chanson terminée, je fis au groupe une *standing ovation*. Je regardai tout le monde, sauf Ryan. Sinon, je risquais l'attaque de panique. Qu'étais-je censée faire à présent ? Peut-être que, comme le Club tout entier avait participé, les spectateurs n'allaient pas se focaliser sur Ryan et moi ?

Hautement improbable.

Ryan descendit de la scène et s'approcha de moi.

— Au cas où tu ne l'aurais pas deviné, me murmura-t-il, cette chanson était pour toi.

Je souris, ne sachant trop que lui répondre.

— Très bien, il est temps d'en venir à la dernière chanson, annonça Jen. Penny ?

— Euh, je dois y aller, dis-je en échappant à Ryan.

Le dernier titre débuta et le Club tout entier monta sur scène pour chanter *Sgt. Pepper's Lonely Hearts Club Band*.

Nous espérons que vous avez aimé le spectacle…

34

Tracy, Diane, Jen, Laura et moi arrivâmes sur le parking avec un sentiment de triomphe.

— Hé ! les filles ! On a récolté plus de trois cents dollars ! Les gens me donnaient de l'argent juste pour pouvoir passer avant les autres, dit Jen en brandissant l'enveloppe.

— C'est fantastique, Jen, félicitations ! dit Diane.

— Oh ! regardez qui va là. Mademoiselle Penny la sainte nitouche !

C'était Todd, accompagné de la clique habituelle – les inséparables couples Brian et Pam, et Don et Audrey. Ryan se trouvait juste derrière lui. Missy était présente, elle aussi. On ne savait pas très bien si elle était avec Ryan ou Todd. Ou si elle traînait là par hasard.

Ryan voulut agripper Todd par l'épaule, mais il s'esquiva.

— Todd, tu es ivre ? demanda Diane, peu impressionnée.

— Laisse tomber, Diane.

Beurré pour de bon, Todd titubait entre les voitures. Je ne l'avais pratiquement pas vu de la soirée, mais j'étais certaine de l'avoir entendu me huer pendant ma chanson... avec Ryan.

De nouveau, Ryan tenta d'attirer son comparse vers la voiture, mais cette fois, Todd le repoussa sans ménagement.

— Ryan, tu es vraiment pathétique.

— Oh ! bien sûr, c'est lui qui est pathétique.

Il me fallut une seconde pour réaliser que cette repartie venait de moi.

Soudain, Todd me fit face.

— Reste en dehors de ça, Bauer. C'est entre moi et la sainte nitouche.

Je tentai d'écarter mon visage de l'haleine atroce de Todd.

— Mais de quoi tu parles, Todd ? demandai-je.

Ryan s'approcha, mais je le rabrouai.

— Je peux me débrouiller seule, Ryan.

Il recula de quelques pas, gardant les poings serrés comme s'il était prêt à intervenir à tout instant.

Todd me fixait.

— Tu sais, c'est pas parce que t'es trop pathétique pour qu'un mec veuille sortir avec toi que tu dois polluer toutes les autres nanas du lycée.

— Ah oui ? Pourtant, si je me souviens bien, il fut un temps où tu n'aurais pas été contre l'idée de sortir avec moi, mais apparemment j'ai un cerveau qui m'a empêché de faire cette bêtise. Si ça peut te faire plaisir, vas-y, dis-toi que c'est à cause de moi qu'aucune fille ne veut plus de toi.

Sur ces mots, je fis mine de m'éloigner, mais Todd me bloqua le passage.

— Franchement, Todd, tu ferais mieux de la laisser tranquille, dit Diane en se plaçant derrière moi avec Tracy, Jen et Laura.

— Ohhhh ! dit-il en titubant vers elle, les bras levés

comme s'il était effrayé. J'ai la trouille d'une bande de nanas !

— En fait, on préfère être appelées des femmes, dis-je, me mordillant aussitôt la lèvre.

Je n'avais pas pu m'en empêcher ; pourtant, je savais que cette remarque ne ferait qu'empirer les choses.

Derrière lui, Missy m'observait avec une expression de délectation pure.

Todd ne cessait de tanguer.

— Ecoute, Bloom...

— Non, c'est toi qui vas m'écouter, Todd...

J'en avais assez de son comportement puéril et je n'avais pas l'intention de le laisser gâcher ma soirée.

— Tu ne comprends donc pas que si aucune fille ne veut sortir avec toi, c'est parce qu'elles refusent de fréquenter un mec qui a l'âge mental d'un gamin de quatre ans.

Il se pencha vers moi.

— Ah ouais ? Et toi, tu ne comprends pas que les mecs n'arrêtent pas de te tromper parce que tu es une sale garce égoïste.

Il éclata de rire en me voyant grimacer.

— Tu sais quoi ? Peut-être que toutes ces filles font partie du Club parce que vous, les mecs, vous êtes tous des salauds. Nous préférons rester ensemble plutôt que d'avoir affaire à l'un d'entre vous.

Je me rendais compte que ma généralisation incluait Ryan.

— Tu n'es qu'un enfant attardé, Todd. Pourquoi ne retournes-tu pas sur ton terrain de football pour courir après la baballe au lieu de pourchasser des filles cent fois plus intelligentes que toi ?

Cette repartie le fit complètement disjoncter.

— Sale petite garce ! s'écria-t-il en m'agrippant violemment le poignet.

Une douleur me vrilla au moment où il me tordit le bras. Je poussai un cri quand Brian et Don l'obligèrent à s'écarter de moi.

Brian entraîna Todd en le maintenant fermement par la taille.

— Elle n'en vaut pas la peine, mec. Vraiment pas. Allez, viens…

Todd haussa les épaules pour se libérer de l'emprise de Brian et se redressa. Il me fit un geste obscène avant de regagner son groupe d'amis et d'être applaudi par Missy.

Et c'était *moi* la garce ?

Ryan s'approcha de moi.

— Ça va ? Je n'avais pas remarqué qu'il était pété à ce point.

Mon corps tremblait et mon poignet me faisait mal. En dehors de cela, tout était parfait ! Je hochai à peine la tête quand les filles m'entourèrent pour voir si j'allais bien. Diane s'adressa à lui :

— Franchement, comment peux-tu être ami avec lui ? Avec tous ces types ?

Il se contenta de hausser les épaules.

— Tu sais bien qu'il n'est pas toujours comme ça.

— Ryan, Todd vient d'agresser Penny et tu es en train de me dire que tu vas retourner auprès de lui comme si de rien n'était ?

Diane secoua la tête.

Ryan jeta un regard à ses prétendus amis.

— D'accord, il a exagéré.

— Tu plaisantes, j'espère ? dis-je, totalement sous le choc. Tu ne vas quand même pas prendre sa défense ?

Tu es de mon côté, n'est-ce pas ? Tu as chanté pour moi.

— Non, bien sûr que non. C'est juste que…

Toute la frustration accumulée ces dernières semaines remonta à la surface. J'étais tellement en colère que je voyais trouble.

Je me tournai vers Ryan, les joues en feu. Ma bouche avait un goût acide. Il était censé être l'un de mes amis ; pourtant, il allait rester planté là et ne rien dire. A l'évidence, il ne voulait surtout pas faire de vagues avec son stupide meilleur ami et ses écœurants coéquipiers.

— Waouh ! Ryan, tu me déçois vraiment. Il ne s'agirait pas de perdre la face devant tes petits copains, hein ?

Ryan me regarda comme si je l'avais frappé en plein cœur. Nous nous fixâmes en silence.

Aussitôt, je regrettai mes paroles.

— Je ne voulais pas dire…, bredouillai-je.

Il tourna les talons et me laissa plantée là, une expression de pure horreur sur le visage.

Comment avais-je pu lui dire une chose pareille devant tout le monde ?

Tracy passa son bras autour de mes épaules et me guida vers la voiture.

— Penny, c'est un pauvre type, ne fais pas attention à ce qu'il dit.

— Ryan ? Mais…

Tracy parut confuse.

— Je ne parle pas de Ryan. Mais de Todd.

Oh ! bien sûr, Todd.

Je me passai la conversation encore et encore dans ma tête.

— Là, mets ça sur ton poignet, je m'occupe du lit.

Tracy me tendit un sachet rempli de glaçons, me prit les draps des mains et commença à faire son lit sur le matelas posé par terre dans ma chambre.

— Penny, cesse de t'en vouloir. C'est un imbécile. Je levai les yeux sur elle.

— Tu crois qu'on a blessé beaucoup de gens au lycée en fondant le Club ? D'abord, le principal Braddock et maintenant...

Elle secoua le drap au moment où il retombait sur le matelas.

— Assieds-toi, dit-elle en s'installant sur mon lit et en tapotant l'oreiller à côté d'elle. Penny, le Club est l'une des choses les plus importantes que nous ayons réalisées. Todd Chesney est un imbécile, fin de l'histoire. Ne le laisse pas gâcher cette merveilleuse soirée.

Je baissai les yeux sur mon pyjama de flanelle et remontai les genoux pour poser mon menton dessus.

— Je ne veux pas être responsable du malheur des autres.

— Tu sais de quoi tu es responsable ?

Je haussai les épaules. Que penser de tout cela ? Chaque fois que je pensais pouvoir gérer le Club et être amie avec Ryan, tout s'écroulait.

Tracy me prit par les épaules pour me forcer à la regarder dans les yeux.

— Grâce à toi, Kara s'est sentie assez forte pour parler de son problème d'alimentation à un médecin.

La transformation de Kara était remarquable. Envolés, les sweat-shirts trop larges, les photos de top models ultraminces dans son casier, ainsi que son habitude de picorer une salade sans sauce au déjeuner. A présent, elle portait des vêtements plus flatteurs, conservait des photos de ses amies au lieu de celles de mannequins anorexiques, et mangeait avec nous.

Elle avait encore un long chemin à parcourir, mais c'était un début.

— Grâce à toi, continua Tracy, Teresa a conservé sa bourse de volley-ball.

Teresa avait finalement réussi son examen de mathématique, grâce à Maria.

— Grâce à toi, pour la première fois de sa vie, Diane Monroe a sa propre identité. Tu te rappelles de quoi elle avait l'air au début de l'année ?

Je me remémorai Diane à ce dîner, où elle n'était que l'ombre d'elle-même, prétendant que tout allait pour le mieux.

— Vois comme elle est heureuse aujourd'hui d'être dans le Club et d'avoir toutes ces nouvelles amies. Elle m'a vraiment surprise.

Tracy n'était pas la seule à avoir été étonnée par Diane. Je n'en revenais toujours pas qu'elle ait pris le risque de s'opposer à Braddock pour aider le Club, ou encore d'affronter Todd ce soir... ou Missy après la parution de l'article.

Ma poitrine me serrait et mes yeux me brûlaient.

— Toutes ces choses ne sont pas arrivées grâce à moi. Je ne peux pas m'en attribuer les lauriers.

Tracy se leva et serra mes mains.

— Tu es celle qui nous a ouvert les yeux. Tu es la plus forte d'entre nous.

Ma lèvre se mit à trembler.

— Ouais, je suis la plus forte.

— Ça suffit, Penny. Ne te sous-estime pas. Tu es le leader du groupe parce que tout le monde te respecte, parce que tu es toujours là pour les autres et parce que tu es l'une des personnes les plus géniales que je connaisse. Je suis tellement heureuse de t'avoir pour meilleure amie. Combien de fois faudra-t-il que je te le dise ?

Tracy m'étreignit et je la serrai fort contre moi.

— De plus, c'est de moi que les filles ont eu peur quand elles nous ont vues la première fois avec Diane. Alors, je suppose que tu es la moins diabolique des trois diablesses.

Je m'écartai de mon amie, qui éclata de rire.

— Désolée, tu sais que je ne peux pas m'en empêcher. Voilà pourquoi nous avons tellement besoin de toi !

Je me rassis sur mon lit et réalisai à quel point j'étais fatiguée. Tracy s'allongea sur son matelas et remonta les couvertures sur elle.

— Assez de drames pour aujourd'hui. Je suis morte.

J'éteignis la lampe de ma table de chevet et m'enfouis sous ma couette. Un rire s'éleva du sol.

— Qu'est-ce qu'il y a ?

Tracy gloussait.

— J'aimerais bien voir la tête de Todd demain matin. Il va être tellement malade ! Espérons que Missy sera aux premières loges. Je paierais pour voir ça !

Je ris à mon tour avant de penser à Ryan. Il fallait que je trouve un moyen d'arranger les choses entre nous. Encore une fois.

Comment expliquer que j'arrivais à gérer toute une bande de filles alors que je n'arrêtais pas de causer des problèmes à un seul mec ?

Au souvenir de l'expression de son visage, je fis la grimace. Puis je fermai les yeux et repoussai cette image. On verrait bien demain.

Cette nuit, j'allais savourer le succès de notre soirée. Elle avait été extraordinaire, si on faisait exception de Todd qui me criait dessus et moi qui criais sur Ryan.

Allongée dans le noir, je me remémorai tous les bons moments de l'événement : Jen récoltant tout l'argent nécessaire pour l'équipe, la reprise décapante de *I Will Survive* par Kara, mon trio avec Diane et Tracy...

Mais chaque fois que je me sentais heureuse, le visage blessé de Ryan surgissait dans mon esprit.

— Ouch ! m'exclamai-je en secouant la tête un peu trop fort, espérant ainsi évacuer l'image de Ryan.

— Penny, dit Tracy d'un ton ensommeillé, ça va ?

Non, non, pas du tout.

— Oui, ça va. Bonne nuit.

Il fallait vraiment que j'arrête de mentir à ma meilleure amie.

Et à moi-même.

35

Les aiguilles de la pendule ne tournaient pas assez vite. Je faisais les cent pas devant mon casier depuis une éternité. Certes, j'étais arrivée au lycée beaucoup plus tôt que d'habitude, car j'avais demandé à ma mère de me déposer bien avant le début des cours. Mon estomac se noua… Ryan serait là d'une minute à l'autre.

Il apparut au coin et ôta son bonnet de laine, geste qui mit ses cheveux en bataille. Il passait ses doigts dedans pour les remettre en place quand il m'aperçut. Il marqua un temps d'arrêt avant de baisser les yeux.

— Salut, lui dis-je.

Il se contenta de hocher la tête tout en ôtant son manteau d'hiver noir.

Je le méritais.

— Ryan, je suis vraiment, *vraiment* désolée pour ce que j'ai dit. Tu sais que je ne le pensais pas.

Il rangea son sac à dos dans son casier et commença à sortir ses livres. Combien de temps allais-je devoir attendre pour qu'il me regarde enfin de nouveau dans les yeux ?

— Je sais que tu ne le pensais pas, dit-il d'une voix morose sans croiser mon regard. Le problème, c'est que tu l'as dit pour me blesser. Mission accomplie.

Il secoua la tête.

— De tous les gens du lycée, j'aurais pensé que tu serais la dernière personne à tomber aussi bas.

Il claqua la porte de son casier et s'éloigna. Puis il marqua une pause et se tourna vers moi.

— Tu sais ce que je fais tous les matins depuis plusieurs semaines ? Je prends ma voiture pour aller au lycée en me demandant quelle Penny je vais trouver près des casiers aujourd'hui. La Penny douce, chaleureuse, drôle ou la Penny froide et distante ? Je retiens presque mon souffle en attendant ta réaction et ensuite j'essaie de comprendre ce que j'ai fait pour mériter un tel traitement. Voilà pourquoi je ne t'ai pas parlé ces dernières semaines. J'étais blessé.

Je le dévisageai. Il avait entièrement raison, c'était indéniable. J'avais adopté une attitude erratique à son encontre, mais je ne pouvais pas lui en avouer la raison.

Il secoua la tête.

— Je ne sais jamais sur quel pied danser avec toi, dit-il en s'éloignant.

— Attends.

Je courus pour le rattraper.

— Je sais que ce que j'ai dit est impardonnable – vraiment, j'en suis désolée. Il s'est passé tellement de choses ces derniers mois et, oui, je ne t'ai pas ménagé.

— Pourquoi ? demanda-t-il en me fixant intensément.

— Je..., dis-je en prenant mon sac, je voulais te donner ça.

Je tendis à Ryan la seule chose que j'avais trouvée pour lui faire part de mes sentiments.

Il prit le boîtier du CD et l'ouvrit. Son expression changeait à mesure qu'il lisait les titres.

— C'est toi qui l'as fait ?

— Oui.

Il lut à haute voix l'inscription qui se trouvait à l'intérieur :

— *De toi à moi...*

— C'est extrait de l'une des chansons... Celle-ci.

Je lui pris le boîtier et lui montrai l'un des titres. Je n'avais pas écrit la suite des paroles – j'en aurais trop dit. S'il l'écoutait, il comprendrait tout.

Il étudiait toujours la liste des chansons.

— Je sais que ça peut paraître idiot, mais je n'ai pas trouvé d'autre façon de...

Le désespoir perçait dans ma voix et les larmes menaçaient de couler. Tout dans ma vie, excepté le Club, semblait se désagréger : les regards fixes des garçons du lycée, l'animosité de Todd, la réprobation du principal Braddock... Je ne supporterais pas que Ryan me haïsse, lui aussi.

En entendant ma voix se craqueler, il leva de nouveau les yeux.

— Je l'adore, merci.

— Ce n'est qu'un stupide CD ! dis-je en me tournant vers le mur et en tentant de maîtriser les larmes qui roulaient maintenant sur mes joues.

Qu'est-ce que j'espérais ? Qu'une sélection de titres des Beatles arrangerait les choses ? Si seulement il savait ce que ces chansons signifiaient pour moi ! Ce n'était pas un simple CD, c'était mon cœur et mon âme. Je les lui offrais, je lui ouvrais la porte. J'aurais voulu qu'il en prenne conscience. Ryan s'approcha et se pencha vers moi, sachant que, ce faisant, il masquait mes larmes au flux des personnes qui pénétraient à présent dans le hall. Sa proximité me procura aussitôt un sentiment de réconfort, et non de malaise.

— Penny, cela signifie beaucoup, venant de toi. S'il te plaît, ne sois pas bouleversée.

Il prit mon cou entre ses mains et se pencha de telle sorte que son menton touche mon front.

— Je suis désolée, je voulais seulement…, commençai-je en m'efforçant de me calmer. Ces dernières semaines ont été très éprouvantes.

— Oui, je sais.

Les larmes inondaient à présent mon visage. Je faisais tout mon possible pour recouvrer mes esprits alors que les couloirs se remplissaient.

— Super. Il ne manquait plus que d'autres rumeurs sur mon compte. Ça me rend malade de savoir que tous ces gens parlent derrière mon dos et je suis sûre que cette situation ne va rien arranger.

Il se pencha et essuya mes larmes. Je me perdis dans ses yeux bleus et priai ardemment pour que tous les obstacles disparaissent.

— Tu sais, ta gentillesse ne m'aide pas du tout.

Ryan me dévisagea quelques secondes avant de m'adresser un grand sourire.

— D'accord, arrête de pleurer, pauvre petite Yoko.

— Quoi ? criai-je, surprise.

Puis je ne pus réprimer un rire.

— Pourquoi m'appelles-tu comme ça ?

Il haussa les épaules.

— Eh bien, tu avais besoin de rire, non ?

— Oui, mais *Yoko* ?

— J'étais sous pression, c'est tout ce que j'ai trouvé.

Il se pencha une nouvelle fois pour essuyer les dernières traces de larmes. Puis il me fit un beau sourire.

— Ça va mieux ?

Comme j'acquiesçais, quelque chose attira mon

regard dans le couloir. Tracy nous fixait, bouche bée. Elle fila en douce quand elle comprit qu'elle avait été repérée.

— Ecoute, il reste deux semaines avant les vacances de Noël. Faisons un pacte : ne laissons rien se mettre en travers de notre... amitié.

Je lui souris.

— Ce serait super.

— Très bien. Alors, retournons à nos casiers avant d'être en retard en cours.

Il passa son bras autour de mes épaules et me guida jusqu'à nos casiers. Un sentiment de soulagement me submergea quand je pris mes livres.

Zut. J'avais complètement oublié que mon premier cours était celui d'espagnol, avec Todd. Merde.

Ou plutôt *caca*.

Il m'était impossible de sécher l'espagnol. En cours, je m'escrimai à copier tout ce que *señora* Coles écrivait sur le tableau noir, mais je ne parvenais pas à me concentrer. Todd arriva en retard de quelques minutes avec un mot d'excuse, mais j'étais trop effrayée pour croiser son regard.

— Très bien, rappelez-vous que votre examen final aura lieu jeudi. Pour aujourd'hui, il reste quelques minutes de conversation. En *español, por favor*, dit *señora* Coles en retournant à son bureau dans le fond de la classe.

Je me tournai vers Todd et le vis en train de fixer mon poignet. Je portais un sweat-shirt à manches longues pour couvrir l'hématome, mais on apercevait une tache bleue et brune. J'ouvris la bouche pour parler, mais je ne trouvai rien à dire.

Todd dit quelque chose, mais sa voix était si ténue que je ne l'entendis pas.

— *Que ?*

Todd me regarda.

— *Lo siento*, Margarita, *lo siento.*

Il avait l'air épuisé. Avant que je puisse répondre quoi que ce soit, la sonnerie retentit.

Je rassemblai mes livres et quittai la salle. Todd m'attendait dehors.

— Je le pensais vraiment, Penny. Je suis désolé.

Son visage était rouge et son dos était voûté

— Merci, Todd.

Il m'adressa un faible sourire avant de se diriger vers son cours suivant. Todd n'était plus lui-même quand il ne lançait pas quelques plaisanteries vaseuses. Je me sentais un peu triste : quels autres changements allaient survenir aujourd'hui ? C'était déjà suffisamment difficile comme cela.

A l'heure du déjeuner, tout le lycée était au courant que Todd était ivre samedi soir et que ses parents l'avaient surpris. Le matin même, ils avaient discuté avec le principal Braddock, qui n'eut d'autre choix que de le suspendre pour les trois matches de basket-ball à venir.

Maintenant, je comprenais pourquoi Todd était si mal en point. Même si cela n'avait rien à voir avec moi.

— Alors, dit Jen à Morgan en s'asseyant, où avez-vous filé, Tyson et toi, après la soirée ?

Morgan rougit.

— Charmant ! dit Jen en riant. Je vois que c'était une soirée réussie pour tout le monde.

— Oh ! laisse-la tranquille, dit Diane.

En fait, je voulais vous dire quelque chose, intervint Tracy.

Morgan parut horrifiée.

— Non, dit Tracy en secouant la tête, c'est en rapport avec le Club.

Après quoi elle distribua à chaque membre une feuille de papier.

Mon cœur bondit quand ce fut mon tour. J'étais un peu agacée de ne pas avoir été la première à la lire. Même si je savais de quoi il s'agissait...

La nouvelle charte améliorée du Club des cœurs solitaires

Voici les règles officielles du Club des cœurs solitaires. Tous les membres doivent les respecter, sous peine d'exclusion.

1) *Les membres sont autorisés à fréquenter des garçons, mais ne doivent jamais, jamais oublier que leurs amies passent en premier.*

2) *Les membres ne sont pas autorisés à sortir avec des imbéciles, des crétins, des menteurs, des vauriens, ou quiconque les traite mal.*

3) *Les membres sont tenus d'assister aux réunions du Club, qui se tiennent le samedi soir. Aucun membre ne peut manquer une séance pour sortir avec un garçon. Les exceptions sont toujours réservées aux urgences et aux très, très mauvaises journées.*

4) *Les membres doivent participer à un certain nombre d'événements ensemble, en groupe, dont les bals de début et de fin d'année, les soirées et*

autres. Les membres peuvent emmener un cava-
lier, mais lesdits garçons assisteront aux soirées
à leurs risques et périls.

5) *Les membres doivent avant tout soutenir et*
supporter leurs amies, peu importent les choix
de ces dernières. Le plus important est de rester
unies.

6) *Enfin, quelles que soient les circonstances, rien*
de ce qui est dit dans le Club ne doit être utilisé
contre quiconque. Tout le monde sait de qui je
parle.

Le non-respect de ces règles peut être sanctionné
par la disqualification, l'humiliation publique et autres
rumeurs sournoises.

Tout en lisant le règlement, les filles hochèrent la
tête et firent part de leur approbation. Je vis que Tracy
attendait ma réaction.

— Qu'est-ce que tu en penses, boss ?

— Mettons ceci au vote. Qui est en faveur du
règlement ?

— Toutes les mains se levèrent.

— Dieu merci ! lança Tracy. Michelle, tu pourrais,
s'il te plaît, ressortir avec mon frère pour qu'il me parle
enfin ?

Michelle se mit à rougir.

— Allez, invite-le à la soirée !

Amy commença à faire passer des enveloppes.

— Il y en a une pour chacune de vous, mais n'hé-
sitez pas à amener quelqu'un. Même un mec.

Elle fit un clin d'œil à Morgan.

Amy me tendit la mienne, où il était soigneusement

inscrit *Penny Lane, leader indomptable*. Elle organisait une grande fête de vacances pour le Club après les examens de fin de trimestre.

Nous nous mîmes à parler toutes en même temps de la soirée, et je regardai de nouveau Tracy. Elle n'avait pas dit un mot à propos de la scène qu'elle avait surprise entre Ryan et moi. Or, je n'avais aucune envie d'un drame supplémentaire dans ma vie. Simplement, il fallait que je survive à mes examens finaux.

— Salut, Teresa ! dis-je. Dis-moi, tu avais espagnol 3 l'année dernière, non ?

— *Si*, répondit-elle.

Une idée surgit dans mon esprit.

— Hé ! les filles !

Je me levai et le silence se fit.

— Et si nous profitions des deux dernières semaines pour réviser nos examens ensemble ?

Quelques grognements s'élevèrent.

— Je sais, je sais, mais réfléchissez une seconde. Nous pourrions nous entraider, étant donné que certaines ont eu les mêmes cours l'année dernière.

Je voulais obtenir des notes encore plus élevées ce semestre, juste pour prouver au principal Braddock qu'il se trompait. Et, bien sûr, que tous les membres du Club réussissent leurs examens.

Quand Jen était allée trouver Braddock dans son bureau ce matin-là pour lui donner l'argent, il s'était contenté de grommeler tout en comptant les billets.

Qu'est-ce qui pourrait bien rendre ce type heureux ?

36

C'était étrange, car même si je tenais au principe de confidentialité du Club, je voulais que quelqu'un informe Ryan de la modification du règlement. En même temps, je n'étais pas certaine que j'étais prête à sortir de nouveau avec un garçon, à risquer un nouvel échec. C'était injuste : plus j'appréciais Ryan, plus je craignais qu'il me brise le cœur.

Je décidai qu'une séance de travail constituait un *non*-rendez-vous inoffensif. Aussi proposai-je à Ryan de venir réviser l'histoire du monde chez moi. Il parut un peu surpris par mon invitation, mais accepta sans hésiter.

— Dis-moi, comment exactement as-tu obtenu cette information ? me demanda Ryan, tandis que nous passions mes notes en revue au sous-sol.

— Oh ! j'ai mes sources.

J'étudiais la carte de l'Europe occupée durant la Seconde Guerre mondiale.

Au cours de la réunion de samedi, j'avais découvert que Mlle Barnes avait posé beaucoup de questions à propos de la Seconde Guerre mondiale l'année passée. Bien sûr, les professeurs ne donnaient pas les mêmes examens deux années de suite, mais il me semblait judicieux de regarder de près les questions posées.

De plus, je ne considérais pas que c'était de la triche, étant donné que nous n'avions pas les réponses, simplement des informations sur les examens précédents. Je me raccrochai à ce que je pouvais.

— Oh ! bonjour, Ryan, dit maman en descendant l'escalier. Tu veux rester dîner ?

Ryan me regarda et je haussai les épaules.

— Quelle bonne idée ! Merci, madame Bloom.

Maman nous regarda tour à tour, un grand sourire aux lèvres. Ce n'était pas comme si nous faisions quoi que ce soit – plusieurs livres étaient étalés par terre et un mètre au moins nous séparait. Je la fixai des yeux, attendant qu'elle dise quelque chose, mais elle se bornait à nous observer.

— Maman…

— Oh ! désolée, dit-elle en remontant l'escalier.

Cette femme pourrait-elle, rien qu'une fois dans sa vie, essayer – juste *essayer* – de ne pas me mettre dans l'embarras ?

Bien que cela m'étonne de moi-même, j'avais réussi à me montrer amicale envers Ryan ces deux dernières semaines. Et ce, sans le moindre drame. Tel était le pacte. Parfois, je pensais à lui de manière inappropriée, mais c'était humain.

— Des projets pour les vacances ?

Ryan se leva et s'étira. Je regardai l'horloge, surprise que nous ayons déjà passé deux heures à étudier.

— Séance de shopping en vue du mariage, répondis-je en dépliant mes jambes et en essayant de chasser les fourmillements de mon pied gauche.

— Qui est l'heureux élu ? questionna-t-il en me faisant un clin d'œil.

Je levai les yeux au ciel.

— Pas moi, Lucy. Elle revient à la maison pour Noël et, avec Rita, nous allons chercher notre robe de demoiselle d'honneur. Rita a clairement dit à Lucy qu'elle voulait choisir sa tenue pour ne pas avoir l'air d'un « cauchemar de taffetas rose ».

Je m'allongeai sur le sol et fixai le plafond.

— J'ai hâte qu'elles soient toutes les deux à la maison. Si seulement les examens étaient déjà passés...

— Plus qu'un jour, me rappela-t-il en se rasseyant. Hé ! Je suis impatient d'aller à la soirée d'Amy demain soir.

Je relevai la tête si vite que je fus légèrement étourdie.

— Quoi ? Tu vas à la soirée d'Amy ?

Ryan parut surpris.

— Oui, ce n'est pas bien ?

— Si, c'est juste que je suis étonnée qu'Amy t'ait invité.

Il secoua la tête.

— Eh bien, apparemment, je ne risquais pas de recevoir une invitation de ta part.

Il me jeta son cahier.

— Désolée...

Pourquoi n'avais-je pas invité Ryan ?

— Mais ce n'est pas Amy qui m'a demandé de venir.

Bien sûr, Diane. Comment n'y avais-je pas pensé avant ?

— Tracy m'a demandé de sortir avec elle.

Tracy ? *Ma* Tracy ?

Elle lui a demandé de *sortir avec elle* ?

J'essayais de comprendre pourquoi Tracy l'avait invité et pourquoi elle ne m'en avait pas touché mot. D'habitude, elle me disait absolument tout.

C'était *moi* la reine des cachotteries.

Mon estomac se noua. Oh ! mon Dieu. Je savais exactement de quoi il retournait.

Ryan avait fini par atterrir sur la liste de Tracy.

C'était ridicule. Tracy n'avait jamais exprimé le moindre intérêt à son égard. Peut-être était-ce pour cette raison qu'elle ne m'avait pas parlé de la fois où elle nous avait surpris près des casiers.

Mais ne m'avait-elle pas dit au début de l'année que Ryan et moi formerions un beau couple ?

Evidemment, la dernière fois que nous en avions discuté, j'avais juré mes grands dieux que je ne sortirais jamais avec lui. Et, bien sûr, je n'avais rien dit de mes sentiments à Tracy. Bien sûr que non.

Je regardai Ryan prendre des notes.

Comment la blâmer ?

Voilà des semaines – ou plutôt des mois ! – que j'aurais dû lui demander de sortir avec moi.

Mais j'avais gardé le silence.

Contrairement à Tracy.

Tracy voulait Ryan.

Moi, je voulais me rouler en boule et mourir.

37

Je redoutais la soirée d'Amy depuis que j'avais découvert que Tracy avait demandé à Ryan de sortir avec elle. J'espérais qu'elle m'en parlerait, mais elle n'avait pas dit un mot à ce propos. Et je n'avais aucune intention d'aborder le sujet. Même pas ce soir, alors que nous étions en train de nous apprêter.

J'ouvris le capuchon du tube de paillettes et en appliquai sur mon visage.

— N'oublie pas le décolleté ! dit Tracy en pointant mon pull en V bordeaux.

Dessous, je portais un jean bleu nuit, une ceinture argentée brillante et une paire de hauts talons. Je reculai pour m'admirer dans le miroir, satisfaite du résultat.

— Oh ! laisse-moi essayer ! s'exclama Tracy en s'emparant du tube de paillettes pour s'en mettre. Elle était vêtue d'un haut de dentelle noir et d'un pantalon à pattes d'éléphant à fines rayures. Comme elle était belle ce soir avec ses cheveux lâchés – habituellement, elle les attachait en queue de cheval. Il était évident qu'elle s'était mise en quatre pour Ryan.

— Parfait, je crois qu'on est prêtes, dit Diane en nous admirant tour à tour dans le miroir.

Avec sa jupe évasée noire, son pull à col roulé bleu marine et le pantalon assorti, Diane était parfaite, comme d'habitude.

Nous nous rendîmes dans ma chambre pour prendre nos manteaux, mais Diane s'assit sur mon lit et ouvrit son sac du même bleu que son haut.

— J'ai quelque chose pour vous deux, dit-elle en sortant deux petites boîtes emballées dans du papier d'argent et entourées d'un ruban rouge.

Elle nous tendit à chacune une boîte.

— Je voulais que vous sachiez combien j'ai apprécié tout ce que vous avez fait pour moi cette année.

— Diane, tu n'aurais pas dû, protestai-je.

Je dénouai le ruban rouge et fis attention à ne pas déchirer le délicat papier d'argent. Quand je découvris la boîte bleue de chez Tiffany, j'étouffai un hoquet.

— Diane !

Je n'en revenais pas. Quand Tracy en fut au même point que moi, elle hocha la tête et nous ouvrîmes nos boîtes en même temps.

La boîte contenait un sac de velours bleu assorti. A l'intérieur, je découvris une chaînette-bracelet en argent avec un fermoir en forme de cœur.

— C'est magnifique !

Tracy et moi avions manifesté notre enthousiasme en même temps.

— Lisez l'inscription, dit Diane en s'approchant de moi pour retourner le cœur.

D'un côté était inscrit « CCS » et de l'autre, mon nom. Après quoi, Diane fixa le bracelet autour de mon poignet.

— Diane, c'est trop, enfin… Tiffany ! protesta Tracy en mettant le sien.

L'intéressée se défendit.

— Vous avez fait tant pour moi cette année... C'est seulement une manière de vous remercier. De plus...

Diane souleva son bras gauche pour nous montrer qu'elle portait le même bijou.

— Vous ne trouvez pas ça trop bébête, j'espère ?

Je ne parvenais pas à détacher le regard du bracelet. C'était le plus beau cadeau qu'on m'ait jamais fait.

— Non, pas du tout !

Tracy et moi étreignîmes Diane ensemble.

— Ah ! et je voulais vous dire une dernière chose, les filles.

Elle semblait nerveuse.

— Je sais que les choses ont changé dans le Club et que vous allez probablement bientôt sortir avec des garçons. Je voulais simplement vous dire..., continua-t-elle en levant les yeux sur moi, que je vous approuve, quel que soit votre choix.

Elle était au courant.

Diane savait que Tracy allait sortir avec Ryan.

— Merci, Diane, répondit Tracy. Tu sais que nous aussi, nous serons toujours là pour toi.

Sur ces mots, elles quittèrent la pièce.

— Ce soir, je sens qu'on va bien s'amuser, dit Tracy.

Peu probable.

Apparemment, nous étions les dernières arrivées chez Amy. Il y avait déjà tellement de voitures que nous dûmes nous garer derrière chez elle.

Nous nous présentâmes toutes les trois à la porte d'entrée. Le bruit s'amenuisa à l'intérieur quand Amy, vêtue d'une superbe robe rouge mi-longue, nous ouvrit.

— Bienvenue, dit-elle en s'écartant pour que nous voyions tous les invités rassemblés dans le salon et la cuisine adjacente.

— Bonnes vacances ! lancèrent les invités en applaudissant.

— Waouh ! Vous devez en avoir marre de répéter la même chose, déclara Tracy.

Il nous fallut quelques minutes pour comprendre que cet accueil nous était réservé à toutes les trois. Tous les membres du Club étaient debout et nous faisaient une ovation. Je repérai Ryan, Tyson et le frère de Tracy dans un coin du salon.

— Qu'est-ce qui se passe ? demanda Diane à Amy.

— Nous voulions seulement vous accueillir comme vous le méritez, répondit-elle en prenant nos manteaux.

Les applaudissements se turent, mais nous réalisâmes que tout le monde nous observait, le sourire aux lèvres. Je regardai Jen et Morgan pour voir si elles pouvaient me donner un indice. Toutes deux me souriaient.

— En fait, reprit Amy, nous voulions vous dire combien vous comptez pour nous toutes.

Tracy prit ma main et la pressa. Peut-être qu'elle avait raison en fin de compte. Nous avions vraiment créé quelque chose de bien. Quelque chose de positif, qui en valait la peine. Au mépris de l'avis des garçons du lycée ou même de Braddock.

— Et nous voulions vous faire un cadeau pour vous remercier.

Amy prit trois présents sous le sapin de Noël près de la porte-fenêtre.

— Jen et moi nous sommes rappelées notre arrivée dans le Club et de notre première discussion. A l'époque, nous étions loin de nous douter que sous cet arbre, devant l'école, une grande chose venait de naître.

Amy nous tendit les paquets.

Diane, Tracy et moi défîmes les emballages, mais ma nervosité ne faisait que croître, car j'entendais des gloussements dans l'assistance.

Pendant que je me débattais avec le papier, Tracy ouvrit sa boîte.

— Génial ! s'exclama-t-elle.

Elle tenait un tee-shirt blanc dont le devant était floqué du sigle du Club, CCS, et le derrière affichait LARSON.

J'éclatai de rire tandis qu'Amy poursuivait :

— En fait, nous avons pensé qu'il était temps que nous ayons des tee-shirts appropriés.

Chaque membre du groupe brandit son propre tee-shirt.

— A votre avis, que ferait Braddock si nous arrivions tous avec ce tee-shirt le jour de la rentrée ?

— Hé ! Je ne veux pas être tenue pour responsable si le malheureux se retrouve à l'hôpital, déclara Tracy en se dirigeant vers le buffet des boissons, où elle prit trois verres de cidre – un pour Diane, un pour moi et un pour elle.

— Penny, je pense qu'il est temps de porter un toast, me dit-elle.

Je levai mon verre.

— Au Club des cœurs solitaires !

Tout le monde dans la pièce m'imita.

— Au Club des cœurs solitaires !

— Et, continua Tracy, à tous ceux qui nous ont soutenues !

Puis elle observa le coin de la pièce où se trouvaient

son frère, Tyson et Ryan et se tourna vers moi. Elle attrapa ma main.

— Viens, allons discuter un peu.

Nous fîmes le tour des invités pour les remercier et leur souhaiter de bonnes vacances.

Toutes les filles, sur leur trente et un, étaient enchantées. Je ne pouvais plus imaginer ma vie sans elles.

— Hé ! viens un peu par ici, dit Tracy en m'entraînant vers l'endroit où Ryan parlait à Mike et Michelle.

Par pitié, je ne voulais pas assister à cela. Mon cœur ne le supporterait pas.

— Joyeuses vacances ! lança Tracy.

Elle me poussa si vivement que je tombai accidentellement dans les bras de Ryan.

— Waouh ! dit-il. Qu'y a-t-il dans ton verre ?

Il observa le liquide ambré de mon verre de cidre.

Je rougis, soudain prise de panique.

Sans doute un effet de l'atmosphère surchauffée de la soirée. Ou des douze morceaux de gâteau que j'avais ingurgités.

— Voilà, on l'a fait. On a survécu, dit Ryan en trinquant avec moi.

Je souris. Puis je me tus, attendant que Tracy profite de l'occasion pour jouer de son charme sur Ryan. Je cherchai mon amie des yeux, mais elle avait disparu. Michael et Michelle étaient partis, eux aussi. Il ne restait que Ryan et moi.

— Alors, dit-il en posant sa main dans mon dos, tout va bien ? Ton cerveau n'a pas implosé avec tous ces examens ?

Il se mit à jouer avec mes cheveux.

Je chassai aussitôt sa main.

— Attention, tu n'imagines pas le temps qu'il m'a

fallu pour faire cette coiffure ! Surtout avec cette vieille bosse sur ma tête.

Il éclata de rire.

— Oh ! je vois.

Je lui adressai un petit sourire espiègle.

— Voyons si tu aimes ça, toi.

Je levai le bras et fis ce qui me faisait rêver depuis si longtemps : ébouriffer ses cheveux. Ils étaient aussi doux que je l'imaginais. Je laissai échapper un rire. C'est alors que je remarquai que tout le monde nous observait, mais, dès que je tournai la tête, plus personne ne semblait s'intéresser à nous.

D'accord. Je n'aurais pas dû faire ce geste avec le garçon pour qui Tracy avait le béguin.

Je me reculai de manière à ne plus être en contact avec lui.

Peut-être ne devrais-je pas me faire autant d'idées. Tout le monde savait que nous étions amis. J'imaginais sûrement des choses.

Mais juste pour m'en assurer, je reculai d'un autre pas.

Je n'en revenais pas d'avoir autant mangé ; pourtant, j'avais très envie d'une ultime part de gâteau. Je pêchai le dernier morceau dans l'assiette et l'enfournai avant de commencer à débarrasser la table.

La soirée touchait à sa fin et il ne restait plus qu'une douzaine de personnes. J'avais ôté mes talons pour être plus à l'aise et collectais dans une poubelle les déchets abandonnés un peu partout.

Tracy s'approcha, me prit par le coude et m'entraîna vers l'entrée.

— Mon Dieu ! Je pensais que si je l'invitais, tu

finirais par agir, mais je m'étais trompée. Tu es tellement frustrante, parfois.

Quoi ?

— Sors avec lui et qu'on n'en parle plus ! Tu me rends folle !

Quoi ?

Je la fixai sans comprendre. Elle soupira.

— Pen, je suis ta meilleure amie depuis des années. Tu croyais vraiment que je n'avais pas compris ce qui se passait entre Ryan et toi ?

Quoi ?

— Ecoute, Penny, je sais que tu n'osais pas sortir avec lui à cause du Club. Mais les règles ont changé, tu te rappelles ? Cesse de nier l'évidence !

Elle sourit.

— En plus, tu n'es vraiment pas drôle quand tu caches tes sentiments ; alors, lance-toi et demande-lui de sortir avec toi.

— Attends, dis-je, sous le choc. Tu as invité Ryan *pour moi ?*

— Bien sûr ! Pour qui d'autre ? maugréa-t-elle.

Bon sang !

Je secouai la tête.

— Je ne peux…

Oh ! mon Dieu !

J'observai Ryan, qui était en train de parler à Morgan et Tyson. Je n'avais jamais invité aucun garçon à sortir avec moi de toute ma vie… Et s'il me disait non ?

— Il ne dira pas non.

Comment a-t-elle… ?

— Et Diane alors ? demandai-je, espérant que ce prétexte me ferait gagner quelques jours… ou quelques mois.

— Tu n'as pas entendu ce qu'elle t'a dit avant de partir ?

Je fixai Tracy avec incrédulité.

— C'est à moi qu'elle s'adressait...

— Franchement, Penny, Diane et moi en avons discuté et...

— Attends une seconde ! *Tu en as discuté avec Diane ?*

— Pen, il a chanté devant tout le lycée pour toi ! C'est à peu près le seul sujet de conversation au sein du Club quand tu n'es pas dans les parages.

Super, le Club était au courant. Ainsi, les gens nous observaient vraiment ! J'étais tellement embarrassée. C'était impossible.

— De plus, Ryan et Diane sont très proches. Elle veut que vous soyez tous les deux heureux.

— Bon, alors, je devrais lui en parler d'abord...

Tracy sourit.

— Elle est déjà partie. Elle ne voulait pas que tu te sentes encore plus mal à l'aise. Elle m'a demandé de te dire que tu pouvais l'appeler demain pour qu'elle t'aide à choisir ta tenue pour votre rendez-vous.

Diane était partie ? Mais..., mais...

Tracy secoua la tête.

— Parfois, je me pose des questions sur toi. Vas-y, ma fille !

Avant que je puisse reprendre mon souffle, Tracy s'écria :

— Hé ! Ryan ! Tu peux venir une seconde ?

Oh ! mon Dieu, pas maintenant. Je ne peux pas faire cela maintenant.

Ryan s'excusa auprès de ses interlocuteurs et s'approcha, visiblement surpris.

— Qu'est-ce qu'il y a, Tracy ?

Tracy se borna à sourire et poussa Ryan de manière à ce qu'il se retrouve juste en face de moi.

— Je n'ai plus de place dans ma voiture, tu veux bien raccompagner Penny ?

— Bien sûr.

— Super ! D'autant qu'elle a quelque chose à te demander.

Sur ces mots, elle tourna les talons et s'éloigna.

J'étais totalement paniquée.

— Oh ! une dernière chose, déclara Tracy en se retournant et en pointant au-dessus de nos têtes. Vous êtes sous le gui ! Salut !

Ryan et moi levâmes les yeux pour constater que le gui se trouvait en effet juste au-dessus de nous.

Baissant le regard, je me tournai pour voir Tracy rameuter les derniers invités dans la cuisine.

J'allais la tuer.

Quand je pivotai de nouveau vers Ryan, il se penchait vers moi pour m'embrasser.

Ma réaction de surprise le fit reculer.

— Désolé, c'est seulement la tradition…, dit-il en désignant le plafond. Je suppose que je n'aurais pas dû.

Sur ces mots, il recula encore d'un pas.

— Non, non, ce n'est pas ça. C'est juste que…

Comment lui dire cela ?

— Tu voulais me demander quelque chose ? dit-il en croisant les bras.

Un sourire amusé flottait sur son visage.

— Euh, oui. Vois-tu…

C'était désespéré.

— Voilà, le plus drôle, c'est que…

Je pris une profonde inspiration. Allez, *tu peux le faire.*

— ... eh bien, tu sais que le règlement du Club a changé... Nous..., euh..., ne pouvions pas...

Ryan se raidit et son sourire disparut.

— Tu ne peux pas avoir de petit ami.

— Oui, avant. Mais nous avons décidé que ce n'était pas très juste pour tout le monde...

— Je vois. Et maintenant ?

Je m'agitai nerveusement. Pourquoi Tracy m'avait-elle fait cela ? Je n'étais pas du tout prête !

— Maintenant, j'essaie... de... J'aimerais...

Toutes ces années, j'avais sous-estimé le courage des garçons : c'était une torture !

— Penny, tu voudrais sortir avec moi ?

Heureusement, Ryan avait vite compris.

— Oui, ce serait super.

Comme je lui souriais, il fit un pas vers moi et m'enlaça par la taille. Puis j'eus une révélation.

— Attends ! On ne peut pas sortir samedi soir. Ces soirées sont réservées au Club.

— Pas de problème, il y a six autres soirs dans la semaine.

Il me rendait les choses vraiment trop faciles. Peut-être que fréquenter des garçons n'était pas si pénible après tout.

— Oh ! Et je déjeune avec les filles. Et si tu veux prévoir quelque chose, il faut me le dire à l'avance, parce que je ne vais pas changer mes plans simplement parce que tu me le demandes.

Ryan hocha la tête.

— Très bien. Autre chose ?

— Euh, eh bien, il faut que j'étudie les règles. Je veux juste m'assurer que…

Ryan s'empara de ma main et se pencha.

— Penny, je ne vais pas t'éloigner de tes amies. Tu crois qu'on pourrait sortir ensemble deux ou trois fois avant de commencer à établir des règles pour nous ?

Je rougis.

— Ça me semble une bonne idée.

— Parfait. Allons dire au revoir à tout le monde et je te ramène chez toi.

Il se dirigea vers la cuisine.

— Attends ! lui dis-je.

Je pointai le gui.

— Il est très important de respecter les traditions.

Ryan sourit et revint à l'endroit où je me trouvais. Mon cœur battait fort quand il prit doucement ma tête entre ses mains.

Puis il se pencha et, au lieu de me raidir ou de m'enfuir, je me penchai à mon tour pour l'embrasser.

Quand nous nous écartâmes, il me murmura :

— J'attends ce moment depuis le début de l'année.

— Qu'est-ce qui t'a pris aussi longtemps ?

— Tu veux vraiment que je te le rappelle ?

Quand nous pénétrâmes dans la cuisine, tout le monde se tut. Il n'était pas dur de deviner de quoi ils parlaient.

Pendant que nous disions au revoir à nos amis, Tracy m'étreignit.

— Alors ?…

Elle étudia mon visage et je suis sûre qu'elle comprit tout de suite ce qui s'était passé.

Tracy se mordit la lèvre et tenta de dissimuler un sourire. Je me mis à glousser.

Quelle chance d'avoir une amie qui me soutenait autant. Ryan nous rejoignit et m'aida à passer mon manteau.

— Hé ! Tracy, merci de m'avoir invité.

Tracy le serra fort dans ses bras.

— Merci à *toi*.

Au moment de partir, elle me lança :

— Appelle-moi !

Here Comes the Sun

*« Petite chérie, ce fut un
long hiver solitaire[1]... »*

38

En quittant la maison d'Amy, je fus saisie par le froid hivernal. Comme je tremblais en me dirigeant vers la voiture, Ryan passa son bras autour de mes épaules.

Soudain, je n'eus plus froid du tout. Ryan m'ouvrit galamment la portière. Je m'assis et mis ma ceinture de sécurité pendant que Ryan prenait place sur le siège conducteur. Il mit le moteur en marche et la stéréo diffusa aussitôt de la musique. Il rougit instantanément.

— Sympa, ce CD, commentai-je.

— Merci, je l'aime beaucoup.

— Moi aussi, dis-je, mais je parlais plus de la musique.

Je laissai ma tête reposer sur l'appuie-tête. Il m'avait fallu du temps pour en arriver là, mais j'avais réussi. Je montai le volume du son et chantai la dernière chanson que j'avais gravée pour lui sur le CD.

Parce que, même au beau milieu de la nuit, je pouvais chanter *Here Comes the Sun* et en croire chaque mot, en ressentir chaque émotion. En particulier le passage où il disait que tout allait bien. Oui, tout allait on ne peut mieux.

Tout était parfait.

Remerciements

Il y a bon nombre de gens à qui je dois la plus grande gratitude pour leur soutien dans l'écriture de ce livre.

D'abord, mon brillant éditeur, David Levithan, pour ses conseils, sa patience et son soutien. J'ai eu beaucoup de chance que mon livre soit en de si bonnes mains. Et je ne le pensais pas vraiment, quand je disais que tous les types dont le prénom commence par un D sont le diable en personne.

Mon formidable agent, Jodi Reamer, qui a mis des années à m'amener jusque-là. Je te suis vraiment reconnaissante de tout ce que tu as fait pour moi. Tu avais raison, tu avais raison, tu avais raison…

Merci à tous les gens de Scholastic, qui ont travaillé si dur sur ce livre. Un merci tout particulier à Karen Brooks pour son expertise éditoriale et à Becky Terhune pour la couverture et le design.

Ma très chère amie Stephenie Meyer, pour m'avoir sans cesse encouragée, surtout au moment où j'en avais le plus besoin. Ton enthousiasme pour ce livre signifie tant pour moi et je te suis si reconnaissante de tes conseils et ton soutien. Je te dois énormément.

Oh ! attendez…

J'ai eu de merveilleux lecteurs à chaque étape intermédiaire de l'écriture de ce livre qui m'ont donné des conseils précieux : Anamika Bhatnagar, ma première lectrice (je suis toujours embarrassée quand je repense à ce premier brouillon – désolée pour ça) ; (la vraie) Jennifer Leonard ;

Heidi Shannon ; Tina McIntyre ; Natalie Thrasher ; Geneviève Gagne-Hawes ; et Bethany Strout.

Mes amis et les losers que nous avons fréquentés, qui m'ont donné bien des idées pour le Club des cœurs solitaires. En particulier, Alexis Burling, qui m'a prêté son histoire *Les roses sont rouges…* ; et Tara McWilliams Coombs, qui a fait de la magie avec ma photo d'auteur. Puissions-nous toutes trouver celui qui nous convient.

Et, bien sûr, John, Paul, George et Ringo, source constante d'inspiration depuis le tout début.

Chez le même éditeur

La série "Outre-Tombe"
de Alyxandra Harvey

Les morsures de la nuit

Solange Drake a toujours su qu'elle était destinée à devenir une reine vampire. Bon, à moins qu'on ne la tue avant son seizième anniversaire qu'elle fêtera dans quelques jours... Ce ne sera pas facile d'échapper aux intrigues mortelles de la cour royale.

Vengeance de sang

Solange Drake qui est devenue une fascinante reine vampire, est aux prises avec ceux qui voudraient bien s'emparer de sa couronne. Heureusement, Logan est là. Un vampire séduisant dont la morsure pourrait bien être aussi douce que le goût subtil de la vengeance...

**Les deux premiers tomes de la série *Outre-Tombe* :
démons, vampires, actions, suspense et romance...**

ISBN : 978-2-35288-443-9 / 978-2-35288-520-7